GUÍA SEXUAL
PARA ADOLESCENTES

TODOS LOS SECRETOS DE TU CUERPO

Alicia Gallotti

GUÍA SEXUAL
PARA ADOLESCENTES

TODOS LOS SECRETOS DE TU CUERPO

EDITORIAL JUVENTUD, S. A.

PROVENÇA, 101 - BARCELONA

© Alicia Gallotti, 2000
© Editorial Juventud, Barcelona, 2000
   Provença, 101 - 08029 Barcelona
   E-mail: editorialjuventud@retemail.es
   www.editorialjuventud.com
Director de la colección: Manuel Manzano
Diseño: Mercedes Romero
Ilustraciones: La Maquineta
Primera edición, 2000
Depósito legal, B. 42.833-2000
ISBN 84-261-3163-8
Núm. de edición de E. J.: 9.869
Impreso en España - Printed in Spain
Carvigraf, c/Cot, 31 - 08291 Ripollet (Barcelona)

ÍNDICE

SEGUNDA PARTE
DE 15 A 17 AÑOS

TERCERA PARTE
DE 18 A 21 AÑOS

¿Es importante el tamaño del pene? ¿A qué edad se pueden tener relaciones sexuales completas? ¿Qué es ser bueno/a en la cama? Estas son algunas de las numerosas cuestiones que chicos y chicas suelen plantearse en torno a la sexualidad. De la curiosidad juvenil nace esta *Guía sexual para adolescentes*, porque, al fin y al cabo, son ellos, chicos y chicas entrevistados de once a ventiún años, pertenecientes a distintos grupos sociales, quienes a través de sus numerosas respuestas, preguntas y confidencias, impregnadas de temores, dudas y vergüenzas, se han convertido en la verdadera fuente inspiradora del libro.

Creemos que éste es un buen punto de partida para abordar un tema tan complejo como el de la sexualidad. Sólo teniendo en cuenta la opinión de los protagonistas, es posible elaborar una información completa, que combine la necesaria descripción fisiológica con otros aspectos inseparables, como son los sentimientos, la responsabilidad, el placer, la comunicación, el afecto... Una información libre de prejuicios, en la que se ha intentado explicar los hechos tal como son para que cada uno tenga la suficiente información como para ser su propio juez.

La sexualidad nace con el ser humano y le acompaña durante toda su vida. Empieza con el comportamiento natural e instintivo del bebé que se toca los genitales y continúa con el exploratorio juego de médicos y enfermeras de los niños. Pero es en la pubertad cuando se despierta activamente la sexualidad para recorrer un camino de aprendizaje y experimentación llamado adolescencia, que desembocará en la madurez sexual. Partiendo de la pubertad, este libro se divide en tres partes, según las distintas etapas del crecimiento: de once a catorce años; de quince a diecisiete años y a partir de los dieciochoaños.

En la primera parte, se describen los cambios físicos propios de la pubertad y de qué manera son asumidos por los jóvenes. También se explica claramente cómo es y cómo funciona el aparato genital de ambos sexos. Sin olvidar la eyaculación y la menstruación, como signos evidentes de madurez sexual.

La segunda parte se centra en una fase en la que los jóvenes empiezan a poner en práctica algunos de los descubrimientos de la etapa anterior. Sus preguntas, por tanto, van más encaminadas a resolver inquietudes que implican una posible relación con el otro sexo. A esta edad empiezan a familiarizarse con los métodos anticonceptivos, por medio de amigos, familia o a través de los centros de planificación familiar y sexualidad.

En la última parte, muchas de las inquietudes reflejadas se asemejan a las de los adultos y es que, en esta etapa, el límite entre unos y otros es muy difuso. La sexualidad ahora se manifiesta de una forma más elaborada, aparecen las fantasías sexuales, el deseo de saber cuáles son las mejores posturas... pero también una actitud responsable ante las enfermedades de transmisión sexual. Todos los temas tratados incluyen recuadros con preguntas realizadas por chicos y chicas, producto de sus dudas o curiosidades.

La *Guía sexual para adolescentes* es un libro pensado para los jóvenes, pero que también puede convertirse en una herramienta muy útil para profesores y para los padres, lógicamente preocupados por saber lo que piensan, necesitan y quieren sus hijos acerca de la sexualidad. Si a alguien puede ayudarle, consideramos que ha valido la pena escribirlo.

PRIMERA PARTE
DE 11 A 14 AÑOS

EL DESPERTAR DE LA SEXUALIDAD: LA PUBERTAD

Si bien es bastante difícil dividir la vida en períodos definidos, lo cierto es que hay una etapa del desarrollo humano a la que, desde el punto de vista biológico, se le podrían señalar con bastante precisión los momentos iniciales. Estamos hablando, por supuesto, de la pubertad. ¿Qué es exactamente la pubertad? Sintetizando, diríamos que es la fase del desarrollo del cuerpo humano en la cual se inicia la madurez de los órganos sexuales, al tiempo que los caracteres sexuales secundarios comienzan a manifestarse.

> La pubertad es la fase del desarrollo del cuerpo humano en la cual se inicia la madurez de los órganos sexuales.

Cuestión de hormonas

Ahora ya sabemos algo sobre esa etapa de tránsito por la que niños y niñas se convierten en adultos casi de la noche a la mañana. Para llegar a esta fase, debemos remontarnos a la vida prenatal. Hay que señalar que, según la ciencia que estudia la formación y vida de los embriones, es decir, la embriología, el desarrollo de los órganos sexuales se produce por obra y gracia de las hormonas sexuales durante los cinco primeros meses de gestación. Las hormonas, que han trabajado para determinar el sexo del bebé, permanecerán en estado de letargo durante la infancia, hasta que consideren que ya ha llegado el momento de madurez necesario para activarse y proporcionar al chico o a la chica las funciones precisas para convertirse en seres capaces de relacionarse sexualmente y procrear.

¿Dónde se localizan las hormonas impulsoras de todas estas transformaciones? El «cuartel general» está ubicado en el hipotálamo, una región del encéfalo situada en la base cerebral. El hipotálamo se encarga de estimular la producción de una hormona que activa a su vez a la hipófisis, una glándula endocrina que se halla en la base del encéfalo. La hipófisis produce unas sustancias llamadas gonadotropinas que tienen el poder de estimular el funcionamiento de los testículos y los ovarios para hacer posible la reproducción.

¿Cómo se prepara la reproducción?

Los órganos reproductores femenino y masculino empiezan a producir hormonas: en la mujer, mayoritariamente estrógenos y progesterona, y en el hombre testosterona. Este es el tiempo en el que se originan las células reproductoras: óvulos y espermatozoides. A partir de este momento, en el organismo femenino se liberará cada mes un óvulo y la membrana mucosa que tapiza la cavidad uterina se preparará para anidar al huevo en caso de que tenga lugar la fecundación.

La pubertad señala el inicio de la evolución que otorga a los seres humanos la capacidad de procrear. En esta etapa, el hipotálamo y la hipófisis ponen en funcionamiento toda una serie de mecanismos hormonales que provocan grandes transformaciones fisiológicas.

Los cambios fisiológicos van acompañados de sensaciones nuevas. Poco a poco, los niños irán acostumbrándose a su cuerpo de adulto. También aprenderán que hay todo un mundo exterior por descubrir. Todas estas transformaciones físicas pueden influir poderosamente en la mente de los púberes. Los cambios rápidos y prematuros quizá desconcertarán a algunos. Por otro lado, el retraso o desarrollo lento, pueden llevarles a experimentar algunos sentimientos de inferioridad.

¿Cuándo empieza la pubertad en los chicos?

La pubertad se inicia en los chicos habitualmente entre los doce y trece años, aunque también puede ser normal que se adelante a los nueve y se retrase hasta los quince años. Según se desprende del informe Kinsey, el 90 % de los chicos presentan su primera manifestación viril –eyaculación– entre los once y los quince años. Hay que puntualizar que estos límites están condicionados por diversos factores, como la raza a la que se pertenece, el clima, la alimentación o la herencia. No obstante, estas diferencias tienden a aminorarse en la llamada «aldea global» y cada vez se observa una mayor tendencia hacia la precocidad.

Según el informe Kinsey, el 90 % de los chicos presentan su primera eyaculación entre los once y los quince años.

¿Cuándo empieza la pubertad en las chicas?

En general, las chicas suelen iniciar la pubertad un año antes que los chicos, es decir, a los diez u once años de edad. Las más precoces pueden presentar los primeros signos a los nueve años y en otros casos no aparecer hasta los diecisiete años. Tanto si comienza prematuramente o se retrasa, esta fase de crecimiento suele durar de cuatro a seis años.

Una alimentación variada y rica en vitaminas influye en el hecho de que los jóvenes de hoy alcancen la madurez sexual antes que los de las generaciones pasadas.

Las chicas suelen iniciar la pubertad un año antes que los chicos, es decir, a los diez u once años.

LAS PRIMERAS SENSACIONES EN CHICOS Y CHICAS

En ellos

Cuerpo y mente están estrechamente relacionados y esto es algo que saben muy bien los que están en esta época de tránsito. Ellos experimentan transformaciones físicas que van acompañadas inevitablemente de ciertas sacudidas psíquicas. A esta edad, los chicos pueden estar fisiológicamente preparados para mantener relaciones sexuales e incluso procrear, puesto que son capaces de eyacular, pero sienten que su mente todavía no ha alcanzado la madurez necesaria. Aún queda mucho por aprender.

Los varones suelen ser más lanzados que las chicas. Por ejemplo, en el vestuario de los niños es más común que estén todos desnudos y que se duchen al mismo tiempo y, entre broma y broma, vayan informándose. Quizá surjan bromas porque uno de ellos ha tenido una erección inoportuna e involuntaria cuando estaba en la piscina. Y seguro que no se pasará por alto el tamaño de los penes, ya sea por exceso o por defecto.

Para despejar las incógnitas que se abren a su paso, los niños recurren a la camaradería masculina, en cuya compañía se mueven como pez en el agua para superar la timidez que sienten ante el otro sexo. El aumento del impulso sexual les lleva a interesarse por las chicas, están muy pendientes de ellas, aunque quieran aparentar lo contrario o incluso se burlen de alguno por estar «colgado» de fulanita o menganita. Por mucho que quieran disimularlo, es una etapa donde aparecen los primeros enamoramientos.

Comienzan las poluciones nocturnas, y empieza el proceso de descubrir el pene como un órgano que se va transformando. Lo manipulan, y en la medida que lo manipulan descubren que tiene una piel que se mueve y que además de servir para orinar, ahí pasan cosas nuevas. Todos estos hallazgos van unidos a nuevas sensaciones que poco a poco derivarán en la masturbación.

Por lo general, los chicos están orgullosos de sus nuevas manifestaciones de virilidad e incluso compiten entre ellos para ver cuál es más hombre. Pero al mismo tiempo, muchos viven con verdadera preocupación las burlas de algunos mayores.

—¿Qué puedo hacer para evitar tener una eyaculación durante el sueño, especialmente cuando estoy en casa de algún familiar o amigo? La verdad es que alguna vez me ha ocurrido y he sentido mucha vergüenza.

—Uno no debería sentir vergüenza porque le ocurra algo tan natural, especialmente durante la pubertad. Seguramente, el familiar o los padres del amigo sabrán comprender que se trata de algo involuntario y que le puede pasar a cualquiera. No obstante, si practicas la masturbación antes de acostarte, tendrás menos probabilidades de tener una polución nocturna.

Ellas

En esta etapa de su vida, las niñas están muy pendientes de su desarrollo físico. Se encuentran inmersas en un proceso de cambio en el que perciben que ya no son niñas pero tampoco tienen los pechos de una mujer adulta ni el pubis cubierto de vello. Viven con una mezcla de curiosidad, entusiasmo y un poco de vergüenza hacia el mundo que les rodea. Es la época en la que, aunque no se marquen aún los pezones, empiezan a tener conciencia del pudor y dejan de pasearse desnudas por la casa.

Hablan mucho entre ellas, continuamente se están preguntando las unas a las otras. A diferencia de los chicos, ellas no suelen hacer ostentación de sus «hallazgos» pero se preguntan si ha crecido o no ha crecido el pecho, si una tiene un pelo en el pubis, e incluso empiezan a contárselos porque al principio salen pocos... y se explican sin son más largos o más cortos... Y también, por el desconocimiento, algunas se preguntan: «¿Si estos pelos siguen creciendo, debería cortármelos?» Ante el temor de las niñas de que algo vaya por mal camino por el simple hecho de observar en su cuerpo algo diferente, han de tener en cuenta que los pelitos del pubis crecen hasta un punto, que no todos los pelos son iguales así como no todos los pubis son iguales, que cada persona tiene una forma de monte de Venus, que unas tienen los pelos más rizados, otras más lisos...

Las chicas son más moderadas que los chicos, pero igual que ellos experimentan fuertes sentimientos sexuales. Ante la presencia masculina, aparecen los primeros síntomas de coquetería. Quizá, de un modo inconsciente, se mueven de otra forma, se acarician el pelo constantemente, se sientan con delicadeza, lanzan miradas pícaras. Quieren gustar a los chicos, pero a la vez sienten miedo de las consecuencias que una relación con ellos les pueda acarrear.

En la pubertad, tanto los chicos como las chicas comienzan a percibir de forma natural ciertas sensaciones excitantes y placenteras que no conocían hasta entonces. En ese momento, la calidad de la información será determinante para asumir las reacciones fisiológicas de una forma sana.

CÓMO SE VIVEN LOS PRIMEROS CAMBIOS FÍSICOS

Ellos

¿Qué ocurre en el cuerpo de los niños al llegar la pubertad? Muchas cosas: se trata de una verdadera convulsión progresiva que afectará tanto a los genitales como a múltiples partes del organismo. Todo crece. La primera muestra que nos indica el comienzo de la pubertad es el aumento del tamaño de los testículos. Cuando sucede esto es que ya se han puesto en funcionamiento unas hormonas llamadas gonadotropinas. Su acción será el punto de partida para la aparición de la hormona masculina por excelencia: la testosterona. A su vez, empezarán a madurar las células reproductoras: los espermatozoides. La mencionada testosterona y otra sustancia derivada de ella serán las auténticas impulsoras de las transformaciones que caracterizan esta decisiva etapa de la vida. Todo está ya preparado para comenzar a experimentar las primeras poluciones nocturnas. Éstas tendrán lugar generalmente entre los trece y los catorce años.

Tras el aumento del tamaño de los testículos, poco a poco irá surgiendo vello en diversas partes del cuerpo: pubis, axilas, cara, pecho, brazos, piernas... Parece que los pelos lo vayan a poblar todo, pero lo cierto es que, alrededor de los diecisiete años sólo la mitad de los chicos tendrán la necesidad de afeitarse.

Alrededor de los once años y hasta los dieciséis, se aprecia un

25

aumento en tamaño y grosor del pene. La piel que recubre los genitales va tornándose más oscura.

Crecen las cuerdas vocales y la laringe. La voz va perdiendo su timbre infantil y tomando cuerpo, se hace más grave, y en este proceso puede surgir algún que otro gallo que va desapareciendo paulatinamente. En el exterior se irá haciendo visible la «nuez» –también llamada bocado de Adán– situada en la laringe.

En esta etapa puede aparecer el típico acné juvenil, que según los expertos, y para mayor tranquilidad de los que lo padecen, se cura con la edad. Asimismo, se nota una mayor transpiración corporal y el olor se hace más fuerte. Y por si fuera poco, también el cabello se vuelve más graso. Estos dos «incidentes» propios de la edad tienen fácil solución con una higiene adecuada y la ayuda de un buen desodorante.

¿Quién no ha oído hablar del «estirón»? Este crecimiento rápido suele producirse entre los once y los dieciséis años, con una duración aproximada de unos tres años. Aunque después los chicos puedan seguir creciendo de una forma más lenta, el «estirón» sorprende porque en muy poco tiempo la estatura aumenta unos veinte centímetros. La ropa les queda pequeña: los tejanos por encima de los tobillos; los jerséis parecen haber encogido por arte de magia; y cada vez que necesitan unos zapatos, tienen que pedir por lo menos un número más; esto en el mejor de los casos, puesto que también ocurre que los comprados recientemente les queden pequeños.

A medida que crecen las extremidades, aumenta también la masa muscular y los hombros se ensanchan. Esto último les suele gustar mucho, por lo que suelen competir entre ellos para ver cuál es más fuerte o más viril. Por un lado, están orgullosos de ser cada día más grandes y más musculosos, pero también puede ocurrir que al ser tan rápido el crecimiento no puedan controlar todos sus movimientos y aparezcan a la vista de los demás algo torpes y distraídos.

La pubertad se manifiesta en los niños fundamentalmente con la emisión de líquido seminal, el crecimiento de vello púbico y el cambio de voz.

No todos los chicos se desarrollan al mismo tiempo ni de la misma forma. Tampoco todos viven esta etapa en iguales circunstancias ambientales. Aunque se puede decir que cada niño es un mundo, también se podría afirmar que existen sentimientos compartidos por la mayoría de ellos. En general, se sienten vulnerables y, si por un lado aceptan orgullosos todas las manifestaciones de virilidad que van descubriendo, también se observa en ellos cierto pudor a mostrar algo tan inocente como es la pelusilla incipiente.

En cuanto al desarrollo de sus genitales, no cabe duda que es para ellos algo emocionante y a la vez inquietante. Miran su pene y ven que ha crecido, que tiene una tonalidad más oscura, pero además ahí se producen sensaciones voluptuosas antes desconocidas.

Otro fenómeno bastante frecuente en esta etapa es la aparición de pequeños senos que preocupan a algunos padres y avergüenzan a los niños. Pero no hay que alarmarse, pues suelen desaparecer pasada la pubertad.

–¿Eyacular varias veces al día puede quitarme fuerza?

–Quizá lo preguntas porque has oído que a algunos deportistas les prohíben tener relaciones sexuales antes de jugar un partido. En estos casos, es posible que la relajación que proporciona el haber eyaculado poco antes del encuentro disminuya su rendimiento en el campo, aunque este hecho no está comprobado científicamente.

Ellas

Cualquier mujer que tenga memoria para recordar su pubertad sabrá cuáles son los cambios físicos que se producen en esta etapa. Y si han tenido hijos, recordarán que las niñas son más adelantadas a la hora de iniciar esta etapa.

Cuando llega este momento, su cuerpo se transforma: aumenta rápidamente de peso y de estatura. Las caderas, nalgas y muslos comienzan a rellenarse y ensancharse, gracias a la particular distribución del tejido graso femenino. La cintura se afina. Poco a poco la silueta se moldea hasta adquirir las atractivas curvas que la diferenciarán de los escultóricos cuerpos masculinos.

Les crecen los senos y aumenta su sensibilidad. Al principio surgen como unos pequeños bultos que van desarrollándose. La areola y el pezón se marcan y oscurecen. En ocasiones, puede ocurrir que un seno se desarrolle más rápidamente que el otro.

Empieza a salirles vello en la zona púbica y en las piernas. Después aparecerá en las axilas. También crecen los genitales externos y se oscurecen: la vulva, los labios y el clítoris. Paralelamente, se desarrollan el útero y la vagina, cuyas paredes ganan elasticidad. Y aparece el síntoma por excelencia de la madurez sexual: la menstruación. Algunas pueden sentir dolor de riñones, sensibilidad abdominal o hinchazón. Paulatinamente su voz dejará de ser la de una niña hasta adquirir un timbre más profundo.

Tampoco ellas se libran del dichoso acné ni del aumento del olor corporal o la grasa del cuerpo o el cabello. Pero estas no son las únicas molestias o preocupaciones de las púberes. Su estado anímico puede pasar de la euforia a la apatía en cuestión de horas.

Resumiendo, podríamos decir que la pubertad se manifiesta en las mujeres por el comienzo de la ovulación y los ciclos menstruales, el crecimiento de los pechos y del vello púbico. Aumentan rápidamente de altura y de peso, se ensanchan las caderas y se adelgaza la cintura.

—Algunas de mis amigas utilizan tampones, pero yo no me atrevo porque he oído que con ellos se puede romper el himen. ¿Es cierto?

—Esta membrana que recubre parcialmente la entrada de la vagina puede romperse por diversas causas: coito, ejercicio físico vigoroso, exploraciones ginecológicas, caídas, etc. También el uso de los tampones puede llegar a romperlo o hacer que se estire de forma gradual. En todo caso, si se eligen los tampones, convendría empezar por los más pequeños.

Al llegar a la pubertad, las modificaciones en el cuerpo de las niñas son más evidentes que en el de los chicos. Ellas se sienten por lo general aún más vulnerables que ellos. Dos de las novedades que más las preocupan son el crecimiento de los pechos y la menstruación. En el primer caso, sobrevienen las típicas dudas sobre cómo serán definitivamente, si crecerán mucho o no, si serán o no normales o si ya ha llegado la hora de ponerse un sujetador. En cuanto a la menstruación, al contrario de lo que ocurre con los niños, cuya primera eyaculación suele ser un tema tabú, las niñas habitualmente lo viven como un acontecimiento importante, celebrado por su familia.

Algunas niñas se acomplejan cuando notan vello sobre los labios o incluso en la cara. En muchos casos suele ser un problema hereditario que puede solucionarse mediante la depilación. Para ello, lo mejor es consultar a los padres sobre la mejor fórmula para hacerlo desaparecer.

El asunto de las espinillas también trae de cabeza a muchas jovencitas que incluso puede retraerlas por temor a que los chicos las rechacen. Lo mejor que pueden hacer es tranquilizarse y ponerse en manos de un buen dermatólogo. Quizá no pueda acabar con el acné pero probablemente suavizará sus efectos.

—¿Se puede hacer algo, como gimnasia o aplicar cremas fortalecedoras para que los senos aumenten de tamaño?

—Ni la gimnasia ni las cremas harán que tus pechos se desarrollen más. Si crees que son demasiado pequeños para tu edad, en relación con los de tus amigas, no debes preocuparte. Están en la fase de crecimiento y hasta que no acabe la pubertad no sabrás su tamaño final.

¿CÓMO ES POR FUERA EL APARATO GENITAL MASCULINO?

Hasta hace poco, cuando venía al mundo un bebé, lo primero que se hacía para saber si era niño o niña era mirar sus genitales. No había duda: si tenía pene, era niño; si tenía vulva, se trataba de una niña. Ahora, gracias a la tecnología, ya no hace falta esperar al momento del parto para resolver este enigma, ya que realizando una ecografía se puede ver claramente el sexo antes del nacimiento. De todas formas, el método sigue siendo el mismo: la observación de los genitales.

Los genitales se llaman también órganos sexuales o reproductores. Lo que se ve a simple vista es importante para determinar el sexo, pero no es todo lo que hay. El aparato genital masculino lo forman órganos visibles y no visibles, es decir, externos e internos. De los ocultos, que son los testículos, los epidídimos, los conductos deferentes, las vesículas seminales, la próstata y la uretra, hablaremos en el próximo capítulo. Aquí nos centraremos en los visibles: el pene y el escroto.

El pene

Es uno de los órganos al que más sinónimos se le han dado: miembro viril, falo, pito, picha, cola... la lista sería interminable. Es el órgano copulatorio del hombre destinado a depositar el semen en la vagina.

Aunque a simple vista pueda parecer sencillo, se trata de un órgano muy complejo en su estructura y en su funcionamiento. Está situado en la pared anterior de la pelvis y en estado de reposo es blando y móvil. Se compone de tres cuerpos cilíndricos: dos cavernosos, unidos lateralmente y que se comunican entre sí; y uno esponjoso, esencialmente muscular, situado por debajo. Este cuerpo esponjoso termina en la punta del pene y tiene forma piramidal o de bellota y por este último motivo recibe el nombre de glande (del latín *glans, glandis*, bellota). Esta es una de las partes más sensible del hombre. En ocasiones se observan en esta zona unos granitos que no tienen la menor importancia.

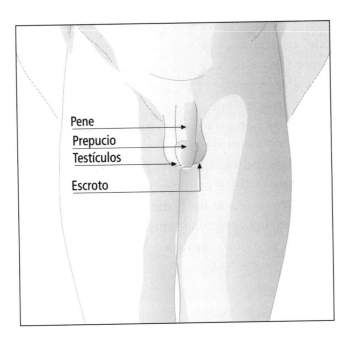

En el glande se abre un orificio: el meato uretral, que es donde desemboca el conducto de la uretra y por donde sale la orina y el semen. Curiosamente, gracias a un dispositivo que regula cada función, nunca se mezclan.

La piel que recubre el pene es muy elástica y tiene una zona móvil llamada prepucio, que es la que recubre el glande. El prepucio tiene la capacidad de replegarse totalmente para dejar al descubierto el glande cuando se produce la erección. La piel del prepucio está unida al glande por el frenillo, que es un delgado ligamento. Debajo del prepucio se forma una sustancia blanquecina y sebosa con un olor característico que se elimina con una buena higiene.

- El pene contiene la uretra, conducto para llevar el semen y la orina hacia el exterior.
- En la punta del glande está el meato urinario, que es un orificio por donde sale la orina o el semen.
- El frenillo es un ligamento que une el prepucio al glande.
- El tamaño, la forma y el color del pene varían en cada hombre. Como no hay dos caras iguales, ni dos manos iguales, tampoco hay dos penes iguales. Por este motivo muchos chicos creen que el suyo no es normal, simplemente porque no se parece al de su amigo. Lo normal es justamente esto, cada pene tiene sus características propias.

El escroto

El escroto es una bolsa de piel dividida en su interior en dos cámaras que alojan los testículos o glándulas sexuales masculinas. Su función es protegerlos. Esta bolsa tiene la característica de encogerse cuando está expuesta a temperaturas bajas o en casos de excitación sexual. Tiene un aspecto rugoso, con grandes y profundos pliegues.

En el medio, hay una línea parecida a una gran costura. El tono del escroto es algo más oscuro que el del resto del cuerpo. En la pubertad, su piel, delgada y sensible empieza a recubrirse de vello.

¿CÓMO ES POR DENTRO EL APARATO GENITAL MASCULINO?

Aquí sí hablaremos de los órganos genitales ocultos, es decir, internos, que no se ven a simple vista. Son los siguientes: dos testículos, dos epidídimos, dos conductos deferentes, dos vesículas seminales, la próstata y la uretra.

Los testículos

Los testículos o gónadas masculinas, también conocidas en el argot popular con el apelativo de «huevos», son las dos glándulas sexuales masculinas. Están ubicados debajo del pene, entre los dos muslos. El hecho de que estén situados por fuera tiene una explicación lógica y fisiológica: para que puedan funcionar correctamente necesitan estar a una temperatura inferior a la del interior del cuerpo.

Realizan una doble función: reproductora y hormonal. Por un lado, están destinados a fabricar las células principales del semen: los espermatozoides. Por otro lado, funcionan como unas glándulas de secreción interna que producen las hormonas, que son unas sustancias que hacen posible la activación de las funciones sexuales masculinas. Una de las hormonas más importantes es la testosterona.

Esta singular fábrica empieza a ponerse en marcha a partir de la pubertad y, desde entonces, bajo el control de la hipófisis, seguirá trabajando sin cesar durante toda la vida.

Los testículos son como fábricas que trabajan continuamente para producir hormonas y espermatozoides, aunque no exista actividad sexual.

¿Cómo son?

Los testículos tienen forma de huevo y están protegidos por varias cubiertas de membrana y piel. Como ya dijimos al explicar el aparato genital externo, la parte protectora que queda más a la vista es el escroto.

El tamaño varía de una persona a otra, pero en general suelen tener la apariencia de una ciruela y son lisos y duros. Es normal y frecuente que el izquierdo esté más bajo que el derecho. Si se tocan con los dedos se deslizan como si fueran bolas de cristal. Son sumamente sensibles a los golpes y las presiones.

El interior del testículo está formado por infinidad de pequeños conductos –túbulos seminíferos– que se unen a otros más grandes los cuales se amontonan en el epidídimo, un órgano en forma de media luna, situado sobre el testículo. Desde los túbulos seminíferos, los espermatozoides inician un viaje en dirección al epidídimo. Desde aquí, y por el conducto deferente, pasan a la ampolla seminal y, luego, a través de la próstata, llegan al pene hasta encontrar la salida por el meato urinario.

Una curiosidad en torno a los testículos: a veces suben y bajan. ¿Por arte de magia? No. Puede ser debido a la acción de diversos estímulos, como el frío, la excitación sexual o simplemente el tocarlos. Esto ocurre al contraerse los músculos del escroto. Es algo normal y no hay que preocuparse, ya que luego vuelven a su posición habitual.

No es conveniente llevar pantalones o calzoncillos demasiados ajustados o de fibras sintéticas, ya que su uso prolongado puede elevar la temperatura de los testículos, cosa poco recomendable para su perfecto funcionamiento.

Los epidídimos

Ya los hemos mencionado al hablar de los testículos. Decíamos que tienen forma de media luna. También podríamos añadir que están situados en la parte de atrás, encima del testículo, por eso se llama *epidídimo* («sobre testículo») y precisar que, en realidad, no son una parte de los testículos, sino unas estructuras formadas por el apiñamiento de pequeños tubos. Constituyen el primer segmento del conducto espermático. Se dividen en tres partes: cabeza, cuerpo y cola. El epidídimo tiene su continuación en el conducto deferente, una estrecha vía que va a parar a las vesículas seminales, lugar donde se produce el líquido necesario para que los espermatozoides sigan vivos y en movimiento. Debajo de la vejiga urinaria se encuentra la próstata, que tiene una función similar a la vesícula seminal.

Los conductos deferentes

Son dos canales por los cuales los espermatozoides que han madurado inician el ascenso hacia las vesículas seminales. Los conductos deferentes entran en la próstata para desembocar en la uretra, que está conectada con la vejiga urinaria y con las vías genitales. Gracias a un sistema de válvulas, la próstata regula la emisión de la orina o del líquido seminal.

Los espermatozoides maduros ascienden por los conductos deferentes para instalarse en las vesículas seminales.

Las vesículas seminales

Son unos saquitos situados debajo de la vejiga urinaria. Su misión consiste en acoger a los espermatozoides maduros. Las vesículas seminales se encargan de fabricar un líquido viscoso, llamado porción seminal, para que los espermatozoides puedan nutrirse, protegerse y desplazarse con facilidad.

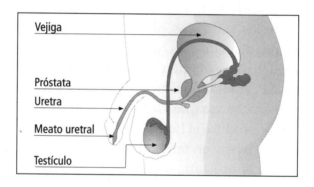

Vejiga

Próstata

Uretra

Meato uretral

Testículo

La vesícula seminal proporciona a los espermatozoides un líquido viscoso que les sirve de protección y alimento.

La próstata

Es una glándula masculina que se encuentra situada entre la vejiga de la orina, la uretra y el recto. En la próstata confluyen la vía seminal y la urinaria. A partir del punto de confluencia, la trayectoria del semen y la de la orina por la uretra hacia el exterior es la misma. Recordemos que nunca llegan a juntarse ambos líquidos, ya que existen unas válvulas que abren o cierran el paso, según convenga.

La próstata segrega un fluido viscoso y blanquecino muy parecido al líquido seminal. Ambos líquidos, junto con los espermatozoides forman el semen. El semen es el líquido blanco y denso que se expulsa a través de la uretra cuando se produce la eyaculación.

La próstata fabrica un líquido llamado porción prostática que protege, alimenta y facilita la movilidad de los espermatozoides.

La uretra

Antes hemos hablado de la próstata. Pues bien, encima de ella está situada la vejiga donde se acumula la orina. Ésta se vierte en la uretra, que es un conducto que atraviesa la próstata hasta llegar al final del glande, donde se ensancha, formando el meato urinario, que es por donde sale la orina o el semen.

La uretra conduce el semen o la orina hacia el meato urinario para expulsarlos hacia el exterior.

Las glándulas de Cowper

Debajo de la próstata hay dos pequeños órganos que reciben el nombre de glándulas de Cowper. Su función es la de segregar un líquido que se vierte en la uretra cuando se produce la excitación sexual. Esta secreción limpia la uretra y la lubrifica dejándola preparada para la eyaculación. Hay que tener en cuenta que esta secreción puede contener espermatozoides, por tanto, si hay penetración, puede haber embarazo aunque la eyaculación se produzca fuera de la vagina.

Los espermatozoides

Los espermatozoides son las células reproductoras masculinas. Los que ya han madurado se componen de cabeza, cuerpo y cola. Cuando se unen al óvulo tienen la capacidad de formar un nuevo ser. Al originarse, los espermatozoides son células demasiado grandes para recorrer el largo camino que les llevará hacia el óvulo. Pero este problema se resuelve a medida que maduran, ya que pierden la capa de grasa que los rodea y generan una cola para poder desplazarse con agilidad.

Por lo general, los espermatozoides pueden mantenerse activos unos tres días dentro del aparato genital femenino. No obstante, se han encontrado algunos vivos en el cuello del útero ocho días después de la eyaculación. Tardan más de setenta días en madurar. Es en este momento cuando inician el ascenso desde los testículos para juntarse con las porciones seminales. Se calcula que en cada centímetro cúbico de semen hay unos veinte millones de espermatozoides. Existen diversas circunstancias que pueden alterar la concentración de espermatozoides: el estrés, la frecuencia de las eyaculaciones, la alimentación, etc.

El semen o esperma es un líquido libre de bacterias. Está compuesto por los espermatozoides, la porción seminal y la porción prostática.

Los espermatozoides inician una veloz carrera que va de los testículos a la ampolla seminal, desde donde pasan al pene a través de la próstata.

¿QUÉ ES LA FIMOSIS?

Cuando el prepucio es muy estrecho o poco elástico y no se puede empujar hacia atrás lo suficiente como para dejar al descubierto el glande, se está ante una fimosis. Muchos niños tienen algo de fimosis cuando son pequeños. En estos caso, el pediatra puede aconsejar a la madre o al padre que intenten empujar suavemente y poco a poco el prepucio hacia atrás a la hora del baño para impedir que se acumule suciedad en el interior y evitar así posibles infecciones. La mayoría de las veces este problema se resuelve a medida que el niño va creciendo pero si no es así, puede solucionarse mediante la circuncisión.

¿QUÉ ES LA CIRCUNCISIÓN?

Según el diccionario, circuncidar significa exactamente «cortar circularmente una porción del prepucio». Se trata de una operación quirúrgica rápida y sencilla cuyo objetivo es conseguir que el glande quede al descubierto para que la erección se desarrolle adecuadamente.

No todas las fimosis son iguales. Hay muchos grados. Las más molestas son aquellas que impiden una erección completa. En estos casos es cuando se aconseja la circuncisión. Si, al llegar la pubertad, el prepucio continúa demasiado estrecho, lo mejor es consultar a un médico. En ningún caso se debe forzar estirando la piel.

En algunas culturas, como entre los judíos ortodoxos y los musulmanes, existe la costumbre de practicar la circuncisión a los niños pequeños en el transcurso de una ceremonia religiosa.

¿QUÉ ES EL FRENILLO?

El trocito de piel que une el prepucio con el cuerpo del glande es el frenillo. Si esta conexión es demasiado gruesa o corta, puede dificultar las relaciones sexuales e incluso impedirlas. En estos casos se aconseja recurrir a una sencilla intervención quirúrgica.

—Me ha dicho un amigo que cuando a un hombre se le hace la circuncisión ya no siente tanto placer en sus relaciones sexuales. ¿Es cierto?

—Si tu amigo tuviera razón, todos los judíos ortodoxos, por ejemplo, experimentarían una disminución del placer sexual con relación a otros colectivos donde no existe esta práctica como algo habitual. De momento, no hay pruebas evidentes de que esto sea así. La diferencia entre el pene circuncidado y el que no lo ha sido es simplemente física: al mirarlos, su aspecto es distinto y es más sencillo mantener la higiene del pene.

¿CUÁNDO SE PRODUCE LA ERECCIÓN?

Los chicos saben que, a veces, el pene «se pone tieso». Este es un fenómeno cotidiano y llamativo con el que están familiarizados desde hace tiempo. Pero muchos siguen preguntándose cómo es posible que un órgano pueda transformarse de esta forma. En primer lugar, deberían saber que la erección consiste concretamente en un engrosamiento, alargamiento y rigidez del pene, debidos a que el tejido esponjoso que hay en su interior se llena de sangre. ¿Y, por qué se llena de sangre? Las causas primeras hay que buscarlas en una serie de complejas sensaciones físicas, psíquicas y sensitivas que inciden en el sistema nervioso. Ante los estímulos nerviosos, la sangre comienza a llenar los cuerpos cavernosos del pene hasta conseguir la erección. La sangre queda retenida gracias a unos músculos situados en la base del pene. Luego, estos músculos, que están regulados por unas válvulas, se abren para facilitar la retirada de la sangre. En este momento es cuando el pene recupera la flaccidez habitual.

La excitación sexual es una de las primeras causas de la erección, pero ésta también puede producirse por otros motivos. Sobre todo, durante la fase de la pubertad, es frecuente que se produzca por las vibraciones de un coche, ante una situación de miedo, cuando uno se encuentra enfurecido o mientras se practica algún ejercicio. Asimismo, puede aparecer por la mañana a consecuencia de sueños relacionados con el sexo o debido a la retención de orina.

Coinciden los expertos en afirmar que la erección es un fenómeno espontáneo causado por diversos estímulos y que, por tanto, no puede provocarse ni contenerse a voluntad.

—*A veces, en el momento más inoportuno, cuando estoy en la playa, en el autobús o en el gimnasio, por ejemplo, mi pene empieza a ponerse tan duro como un palo. Creo que todo el mundo me mira y me invade una sensación de vergüenza. ¿Qué se puede hacer en estos casos?*

—Piensa que es una cosa normal que les ocurre a todos los chicos, especialmente durante la pubertad. Lo mejor que puedes hacer es intentar no darle importancia y pensar en otras cosas. Si aún así «la cosa se pone muy dura», se ablandará haciendo una visita al cuarto de baño para aliviar la tensión acumulada, es decir, por medio de la masturbación.

¿Es importante el tamaño del pene?

Mucha gente cree que el tamaño del pene es proporcional a la cantidad de placer que puede dar a una mujer. Esta falsa creencia o mito está basada en ideas erróneas que no tienen ningún fundamento y que probablemente se han extendido como reguero de pólvora por la influencia de la literatura y vídeos pornográficos en los que se ensalza más las medidas que la calidad.

El tamaño no importa. Lo importante es lo buena y gratificante que pueda ser una relación sexual. La habilidad es mucho más importante que el tamaño. El mero hecho de tener un pene grande no garantiza por sí solo la excitación. Por supuesto, tampoco es un problema tener un pene grande, pues la vagina es sumamente elástica y se adapta a grosores que van desde un pequeño tampón hasta la cabeza de un bebé. En todo caso, un pene grande funcionará bien con una vagina de un tamaño adecuado. Aunque sería absurdo ir en busca de la talla apropiada, como el que se compra unos zapatos, porque esto es imposible, lo que sí es obvio es que existen tallas. Existen vaginas pequeñas, anchas cortas o largas, del mismo modo que existen penes gordos, delgados, largos o cortos. Son variaciones, pero no por ello son mejores o peores.

> El tamaño no importa. Lo importante es lo buena y gratificante que pueda ser una relación sexual.

Habría que matizar también que la diferencia de tamaño que se observa cuando los penes están flácidos, tiende a reducirse en estado de erección. Esto significa que los penes pequeños suelen crecer en proporción más que los grandes. Por este motivo, las competiciones que se hacen entre los chicos para «ver quién la tiene más larga» no tienen sentido si se hacen en estado de reposo.

El tamaño no importa, en esto estamos de acuerdo, pero los chicos siguen y seguirán preguntándose si las medidas de su pene son las normales. En la edad adulta, el pene flácido suele medir de siete a trece centímetros de longitud y nueve de circunferencia; en erección: de doce a dieciocho centímetros de longitud y unos doce centímetros de circunferencia.

—Tengo catorce años y mido metro ochenta de altura. Mi pene mide diez centímetros en reposo y quince en erección. Me gustaría saber si es un tamaño proporcionado a mi estatura.

—Aunque hay personas que creen que mirando a un chico pueden adivinar el tamaño de su pene, esto no es cierto. El tamaño del pene de los hombres no es directamente proporcional ni a su altura, ni a su peso, ni a su edad. Así, un hombre alto y corpulento puede tener un pene más pequeño que el de uno bajito y delgado. Sean como sean, lo fundamental es que funcionen correctamente.

¿Cuándo y cómo aparecen las primeras eyaculaciones?

En el transcurso de la pubertad es cuando el chico experimenta su primera eyaculación. Eyacular significa «expulsar con rapidez y fuerza el contenido de un órgano o depósito» y en este caso, el contenido es el esperma.

A partir de este momento, se puede decir que los órganos masculinos han adquirido la madurez sexual. Ya funcionan como los de un adulto y están capacitados para procrear. Pero «¿cómo suele presentarse la primera vez?» es una de las preguntas que se hacen muchos jóvenes. La respuesta es que puede ocurrir de múltiples formas: de improviso, por medio de la masturbación, mientras se practica algún ejercicio, en situaciones de tensión nerviosa, de excitación erótica o durante el sueño.

El sistema nervioso es el encargado de dirigir los mecanismos necesarios para que se produzca la eyaculación. Todo este proceso consta de dos fases distintas pero relacionadas entre sí: la emisión y la eyaculación. Durante la primera fase, que tiene lugar en los órganos reproductores internos, se produce una contracción refleja de los conductos deferentes, las vesículas seminales y la próstata, que conducen el líquido seminal hacia la uretra posterior. En la segunda fase, y con la ayuda de las contracciones musculares de la cavidad abdominal, el semen sale al exterior a través del meato uretral. Esto coincide con el momento de máximo placer.

La eyaculación puede presentarse de improviso, por medio de la masturbación, mientras se practica algún ejercicio, en situaciones de tensión nerviosa, de excitación erótica o durante el sueño.

¿Qué es una polución nocturna?

A las eyaculaciones involuntarias que tienen lugar durante el sueño se las conoce como poluciones nocturnas. Son muy frecuentes en la adolescencia y la mayoría de las veces están relacionadas con sueños más o menos eróticos.

La mayoría de los adolescentes tienen poluciones que se repiten de una a tres veces por semana.

Los adultos con escasa actividad sexual también suelen tener poluciones nocturnas. Tanto las de los jóvenes como las de los adultos disminuyen a medida que aumenta la masturbación o las relaciones sexuales.

—*Dicen que cuando te despiertas y ves que has tenido una eyaculación es porque has soñado con algo erótico, pero a mí me ha pasado y no recuerdo haber soñado con nada relacionado con el sexo.*

—Tú mismo dices que «no lo recuerdas» y eso es lo que suele pasar. Todos soñamos pero no todos recordamos lo soñado. Durante la pubertad, el despertarse con el pijama húmedo es algo muy habitual, es una forma natural de dar salida al esperma retenido. Las poluciones nocturnas funcionan a modo de una válvula de seguridad que regula la presión contenida en el interior.

¿CÓMO ES POR FUERA EL APARATO GENITAL FEMENINO?

Los genitales de la mujer se agrupan para su estudio en externos –los que podemos ver a simple vista– e internos –se encuentran escondidos en el cuerpo–. Estos últimos comprenden la vagina, el útero, las trompas de Falopio y los ovarios. A los genitales externos femeninos, que trataremos en este capítulo, se les da globalmente el nombre de vulva. Mencionaremos también la importancia de los pechos, como órganos sexuales secundarios.

La vulva

Está compuesta por las siguientes formaciones: el monte de Venus, los labios mayores, los labios menores, el clítoris, el meato uretral, el orificio vaginal y el himen.

El pubis

Es la zona más visible de la vulva, ubicada en la pelvis; también se la conoce como Monte de Venus. Tiene forma triangular, con la base en la parte superior. Está constituida en su interior por un abundante tejido graso y exteriormente por una piel que se cubre de vello a partir de la pubertad.

Los labios mayores

Los labios mayores o externos, son dos pliegues de piel que protegen la vulva y que se recubren de vello desde la pubertad. Se parecen al escroto masculino en su función de protección, pero se diferencian en que no se unen en la parte central y en que están formados por tejidos grasos con una gran circulación sanguínea.

Los labios menores

También llamados ninfas, constituyen dos pliegues cutáneos más pequeños que los labios mayores y se localizan en la parte interior de éstos. Los labios menores envuelven el orificio de la vagina y el meato uretral.

El clítoris

Se encuentra situado en la parte superior de la vulva, por debajo de los labios mayores y entre los repliegues de los labios menores. Se trata de un órgano eréctil del tamaño de un guisante, con una estructura muy parecida a la del pene, pues está formado por un tejido esponjoso y abundantes terminaciones nerviosas. Asimismo, tiene un glande cubierto por un prepucio. La punta del clítoris es la zona más sensible de la mujer y la que le proporciona mayor fuente de placer sexual.

> –No sé si mi clítoris y mis labios de la vulva son normales porque no los he comparado con otros, pero creo que el primero es pequeño y los segundos son asimétricos.
>
> –No todos los clítoris son iguales, unos son más grandes y otros más pequeños. En cuanto a los labios de la vulva, no sólo pueden variar de tamaño de una mujer a otra sino que en raras ocasiones el derecho y el izquierdo son iguales en la misma persona. Lo mismo que se dice sobre el pene sirve aquí: el tamaño no importa.

El meato uretral

Tiene el mismo nombre tanto en los chicos como en las chicas y es el pequeño agujero donde termina la uretra y por el que sale la orina. Se localiza entre el clítoris y el orificio vaginal.

El orificio vaginal

Este agujero es la puerta de entrada de la vagina. Por aquí es por donde se introduce el pene en el coito, por donde sale la sangre cuando se tiene la regla y por donde se introducen los tampones. A cada lado del orificio vaginal hay situada una glándula –glándula de Bartholin— que lubrica la vagina y la prepara para la penetración.

El himen

Es una membrana mucosa muy fina y elástica que cierra parcialmente la entrada de la vagina. Su forma es variable, pudiendo ser circular, semicircular, etc. Por regla general, se rompe en las primeras relaciones sexuales en las que hay penetración, aunque existen otras causas por las que se puede romper: gimnasia, esfuerzos excesivos, etc. Se ha exagerado mucho sobre las consecuencias de la pérdida del himen, pero lo más habitual es que tras el desgarro se experimente un dolor leve y una pérdida moderada de sangre. Incluso hay chicas que pierden la virginidad sin notarlo.

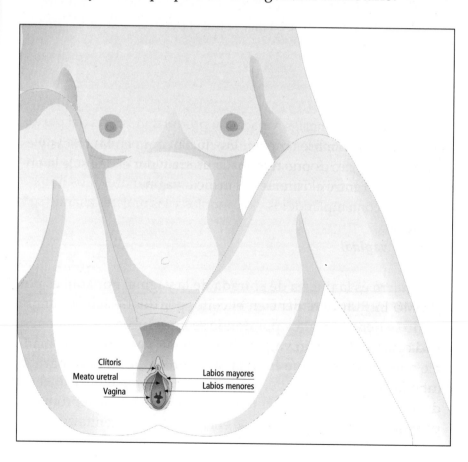

Clítoris
Meato uretral
Vagina
Labios mayores
Labios menores

Por otro lado, a muchas chicas les preocupa tener el himen tan cerrado que no puedan colocarse un tampón, pero este caso no es habitual. Normalmente, existe una obertura suficiente como para introducir tampones y permitir la salida de la sangre en la menstruación. El himen puede verse mediante una simple autoexploración con la ayuda de un espejo

No hay dos genitales femeninos iguales, tanto desde su aspecto externo como interno. por tanto, para saciar la curiosidad sobre los mismos, lo mejor es utilizar un espejo. Conocer bien cómo son los propios genitales ayudará a tener una mejor relación con ellos y contribuirá, en el futuro, a unas relaciones sexuales más placenteras.

Los senos

Son glándulas mamarias capaces de producir, después del parto, la leche que alimenta a los bebés. Pero no hay que olvidar que también forman parte de los órganos sexuales secundarios y cumplen una importante función durante los juegos preliminares. Los hombres se excitan contemplándolos y tocándolos y las mujeres cuando se los acarician.

¿CÓMO ES POR DENTRO EL APARATO GENITAL FEMENINO?

Está compuesto por la vagina, el útero o matriz, las trompas de Falopio y los ovarios. Todos estos órganos son necesarios para llevar a cabo la compleja tarea de la fecundación. También existe el conducto de la uretra, que no interviene en el proceso de reproducción pero que su orificio de salida se encuentra en los genitales.

La vagina

Es el órgano de copulación de la mujer. Se trata de un conducto de unos diez centímetros de largo que comunica la cavidad uterina con la vulva. Los tabiques de la vagina son irregulares y muy elásticos, características que facilitan la sensación placentera en el hombre y hacen posible que se adapte al pene en la penetración o a la cabeza de un bebé durante el parto. Normalmente, las paredes vaginales están juntas, pero se separan un poco y se lubrican cuando se produce la excitación sexual.

En el interior del canal vaginal se produce un líquido conocido como flujo vaginal que, en condiciones normales, debe ser inodoro e incoloro. Contiene unas «bacterias buenas», llamadas *bacilos de Döderlein*, destinadas a combatir las posibles infecciones.

–¿Es verdad que la vagina puede hacer ruidos durante la penetración?

—Como la vagina es una cavidad, es normal que con la fricción del pene se produzca algún que otro ruido al expulsar el aire hacia fuera. Que haya más o menos ruidos dependerá también de la postura que se adopte durante el coito. Algunas mujeres sienten temor o vergüenza por este fenómeno que, al fin y al cabo, es algo natural. En estos casos, sería conveniente comentarlo sin prejuicios con la pareja.

El útero

El útero o matriz es el órgano femenino en el que se desarrolla el óvulo fecundado durante el embarazo. Su estructura muscular forma una cavidad en forma de pera con la base hacia arriba. Está recubierto por una mucosa llamada endometrio que aumenta de tamaño durante la ovulación. El útero se comunica con las trompas de Falopio por la parte superior y con la vagina por la inferior (cuello del útero o cérvix).

Las trompas de Falopio

Son dos conductos con una forma más o menos cilíndrica, situados uno a cada lado de la base de la matriz, que conectan los ovarios con el útero. Su nombre se debe a Gabriel Falopio, cirujano italiano del siglo XVI que fue el primero en observarlos. En las trompas es donde puede producirse la fecundación si los espermatozoides se encuentran con el óvulo.

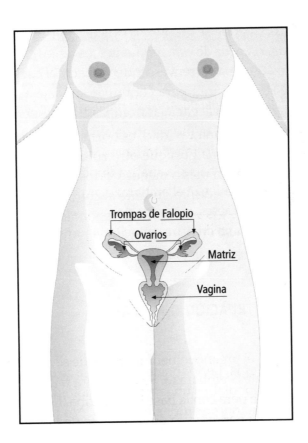

Trompas de Falopio

Ovarios

Matriz

Vagina

Los ovarios

Están situados encima del útero, con el que se comunican a través de las trompas de Falopio. Siempre se dice que se parecen a una almendra por la forma y el tamaño. Así son las glándulas sexuales femeninas encargadas de producir óvulos y hormonas (estrógenos y progesterona, principalmente). A partir de la pubertad y hasta la menopausia, se dedicarán a liberar un óvulo maduro –ovulación– cada treinta días aproximadamente. El óvulo es el elemento germinal femenino capaz de ser fecundado por el espermatozoide. Se diferencia de éste en que es mucho más grande y lento.

El embarazo: Cuando se produce la eyaculación, el esperma entra en la vagina. A partir de este momento, los ágiles espermatozoides comenzarán una carrera ascendente hacia el cuello del útero por donde se deslizarán para continuar su viaje a través de la cavidad uterina hasta llegar a las trompas. Si los espermatozoides se encuentran con un óvulo y uno de ellos consigue penetrar en él, se habrá producido la fecundación. El óvulo fecundado se desplazará entonces hacia la matriz donde se instalará. En ese preciso instante comienza el embarazo, un período de gestación que durará nueve meses, el tiempo necesario para que el embrión se transforme en una criatura capacitada para vivir.

¿QUÉ ES LA MENSTRUACIÓN O REGLA?

La menstruación, regla, período, mes, flujo o, si se quiere «tía María», en lenguaje más coloquial, es un fenómeno fisiológico vivido con gran interés y preocupación por todas las niñas. No hay nada más que observar el protagonismo que cobra la primera de la clase a la que «le viene». Rápidamente, se convierte en la estrella indiscutible a la que todas le hacen preguntan y piden consejo.

La regla consiste en una pequeña hemorragia causada por el desprendimiento de una parte de la membrana mucosa que tapiza la cavidad uterina, es decir, el endometrio. ¿Por qué se desprende esta membrana de forma regular? La explicación es la siguiente: desde que las niñas tienen su primera regla, su organismo hace madurar cada mes un óvulo en uno de sus ovarios. El óvulo maduro se desplaza a través de la trompa de Falopio para acomodarse en el útero, cuyas paredes, agrandadas por los efectos de las hormonas y con todos los nutrientes necesarios, forman un nido acogedor para recibir al óvulo fecundado. Cuando el óvulo no ha sido fecundado, que es lo que ocurre la mayor parte de las veces, todo ese preparativo formado por mucosa y sangre, es expulsado hacia el exterior a través de la vagina.

Todo este proceso, que se sucede a lo largo de unos treinta y cinco años, comienza en la pubertad de los once a los trece años, con la menarquía –edad en la que la mujer tiene la primera regla– y termina con la menopausia, período en el que la regla comienza a retirarse hasta terminar desapareciendo. Esto ocurre habitualmente a partir de los cuarenta y cinco años.

Ciclo menstrual

Se llama así al período de tiempo que va desde el primer día de la menstruación hasta el primer día de la siguiente. La duración del ciclo puede variar de una mujer a otra y es frecuente que durante los primeros años se adelante o se retrase pero, en general, suele situarse en torno a los veintiocho días. El tiempo de sangrado oscila entre los tres y cinco días, aunque en algunas mujeres puede prolongarse hasta siete días. Al acabar la menstruación, se forma una nueva mucosa y unos catorce días antes de la regla siguiente tiene lugar la ovulación.

Poco antes de la regla, algunas chicas se ven afectadas por una serie de síntomas molestos como pueden ser: dolor de cabeza o de ovarios, tirantez en los senos, nerviosismo, irritabilidad, etc. Por lo general estas molestias, conocidas como síndrome premenstrual, van desapareciendo con el tiempo y no llegan a alterar el desarrollo de una vida normal.

—*¿Es posible tener relaciones sexuales con la regla?*

—Aunque las encuestas apuntan a un descenso notable de las relaciones sexuales durante la menstruación, lo cierto es que no existe ninguna contraindicación médica al respecto. Quizá los motivos que explican la reducción de relaciones durante la menstruación hay que buscarlos en una cierta aprehensión de los hombres ante la presencia de la sangre y en el hecho de que la mujer piense que es una situación incómoda. Lo que sí se ha comprobado es que el orgasmo femenino contribuye a aliviar la tensión durante la menstruación.

¿COMPRESAS O TAMPONES?

Para absorber la sangre de la menstruación, hay tres opciones: usar compresas, tampones, o alternar el uso de ambos. Sea cual sea el método elegido, conviene seguir algunas recomendaciones básicas para evitar infecciones, alergias o irritaciones:

- Comprarlos en envases herméticamente cerrados y sin perfumar.
- Lavarse bien las manos con agua y jabón antes de manipularlos.
- Lavarse los genitales con agua corriente en cada cambio.

Compresas

Quienes se decantan por las compresas argumentan que son muy fáciles de usar y que además al acostarse son más higiénicas que los tampones, ya que con éstos la sangre queda toda la noche estancada. Pero, eso sí, las compresas presentan el inconveniente de limitar los movimientos y de notarse con los pantalones ajustados o el traje de baño.

En el mercado hay una oferta muy amplia en cuanto a la forma y el grosor de las compresas, desde las más finas para adolescentes con escaso flujo hasta las de mayor capacidad de absorción para mujeres con abundante sangrado o para ser utilizadas por la noche sin riesgo de manchar las sábanas.

Tampones

En cuanto a los tampones, es mejor escogerlos con aplicador para no tocarlos con los dedos y evitar así posibles infecciones. Si se observa resistencia al introducir el tampón es probable que exista tensión muscular. En este caso habrá que relajarse y untar la punta del tampón con un poco de vaselina. Una vez colocado, deberá cambiarse cada dos o tres horas.

Puede ocurrir que, en alguna ocasión, especialmente cuando el himen está intacto, sea realmente difícil sacarlo por haber aumentado mucho de tamaño al empaparse de sangre. En este caso, conviene acudir al ginecólogo para que lo extraiga sin ocasionar lesiones.

Hay distintos tamaños de tampones, según la cantidad de flujo que se tenga: mini, regular, súper y súper plus.

Las chicas no deben tener ninguna vergüenza de pedir el que mejor se adapte a sus necesidades.

El uso de tampones está especialmente indicado en determinadas situaciones: piscina y playa; práctica de un deporte; con vestidos y pantalones ajustados; fiestas y viajes.

Aparte de estos casos o similares, es más aconsejable la utilización de compresas, ya que presentan menos contraindicaciones.

Actualmente, existe una gran polémica en torno al uso de los tampones, puesto que la mayor parte de ellos están fabricados con algodón, al que se añaden sustancias químicas potencialmente perjudiciales, como la dioxina o el rayón, que los hacen más blancos y absorbentes. Para curarse en salud, lo mejor es optar por tampones fabricados en algodón 100 %, sin ningún tipo de aditivo, que se pueden encontrar en tiendas del comercio justo o establecimientos especializados en productos naturales.

A tener en cuenta

- Antes de poner un tampón, cerciorarse de que no queda otro dentro.
- Si se rompe el cordón, se extraerá en la misma posición que para colocarlo, haciendo pinza con los dedos pulgar e índice.
- Acudir al médico en el caso de que no se pueda extraer con los dedos.

—Una amiga dice que tuvo una infección vaginal debida al uso de tampones. ¿Es esto cierto?

—Es lógico que cuando un tampón permanece mucho tiempo dentro de la vagina exista la posibilidad de contraer infecciones. Además, en ocasiones, aunque se extraiga el tampón, algunos filamentos de tejido pueden quedarse en el interior y favorecer la proliferación de bacterias.

¿QUÉ ES LA VIRGINIDAD?

Actualmente se dice que una persona, ya sea hombre o mujer, es virgen cuando no ha mantenido relaciones sexuales completas. Pero esta definición tan objetiva es reciente. Tradicionalmente, la virginidad ha sido un concepto excesivamente mitificado y relacionado con ideas de pureza, inocencia, castidad, candor... La rotura del himen era la prueba de fuego para determinar si una chica era o no era virgen. Hoy se sabe que el himen puede romperse por múltiples motivos y que en algunas ocasiones no resulta dañado durante el coito. Resumiendo: un himen intacto no demuestra que no haya habido penetración y uno desgarrado tampoco prueba lo contrario.

Los chicos y las chicas sienten una gran curiosidad y preocupación ante la proximidad de sus primeras relaciones sexuales. Ellas han oído que se siente dolor y se sangra y ellos sienten temor de hacerles daño. Con la experiencia irán comprobando que la realidad no coincide siempre con la teoría. En algunos casos el himen se rompe y en otros no, a veces se siente dolor y otras veces no se siente ninguna molestia. Aprenderán paulatinamente que, para disfrutar de unas relaciones sexuales satisfactorias, influye muchísimo la complicidad y la confianza entre ambos.

Hay que decir también que el concepto de virginidad varía según las creencias culturales y religiosas de cada sociedad. En algunas culturas no se permiten las relaciones sexuales antes del matrimonio, en cambio otras las recomiendan como parte de la formación de chicos y chicas.

> Una persona, ya sea hombre o mujer, es virgen cuando no ha mantenido relaciones sexuales completas.

¿QUÉ SIGNIFICA MASTURBARSE?

Masturbarse significa acariciar o frotar los órganos genitales con el objetivo de llegar al orgasmo. Durante este proceso, es habitual tocar algunas zonas erógenas para incrementar el goce sexual. Esta es una práctica frecuente entre los chicos y chicas adolescentes, por medio de la cual aprenden a conocer mejor las características y necesidades de su cuerpo. Pero la masturbación no se circunscribe solamente al ámbito juvenil, sino que es practicada por la mayoría de las personas a lo largo de su vida, como parte integrante de la sexualidad. Los jóvenes deberían tener esto en cuenta para desterrar los sentimientos de culpabilidad que a veces les invaden a causa de una moralidad mal entendida.

Además del placer sexual, la masturbación sirve para liberar al organismo de la tensión acumulada. El deseo puede surgir en cualquier momento y ser alimentado mediante la contemplación de imágenes eróticas o dando rienda suelta a la fantasía, como pensar en alguien conocido, en un artista famoso, etc.

¿Cómo se masturban chicos y chicas? Ellos lo hacen generalmente cogiendo el pene o la punta del mismo con la mano o con los dedos, moviéndolo rítmicamente de arriba abajo hasta conseguir el orgasmo. Ellas suelen hacerlo frotándose el clítoris con uno o varios dedos y al mismo tiempo pueden introducirse un dedo o algún objeto en la vagina. Ambos recurren también al roce contra las sábanas, almohadas, cojines, mantas, etc. En todos los casos, la frecuencia de los movimientos y la presión suelen incrementarse a medida que se aproxima el orgasmo.

En un principio, durante la pubertad, la masturbación se realiza de una forma un tanto instintiva, como una necesidad natural surgida del organismo. Poco a poco, va adquiriendo otros matices, se enriquece con la experiencia, la fantasía y la voluntad. Es el momento en el que, para excitarse, las chicas empiezan a acariciarse los muslos y los senos y los chicos contemplan la foto de una chica que les gusta.

—¿Es posible romperse el himen con la masturbación?

—El himen puede romperse por muchos motivos pero la masturbación no es una de las principales causas, ya que es imposible que ocurra simplemente con el frotamiento del clítoris. Podría ocurrir si se introdujera algún objeto punzante dentro de la vagina o se metiera el dedo de una forma muy enérgica. Las niñas deben tener mucho cuidado y no usar objetos que puedan lastimar sus genitales.

Antiguamente se decía que los chicos se masturbaban más que las chicas y en su caso estaba más aceptado, pero en la actualidad, se sabe que la frecuencia, la intensidad, las ganas... son las mismas. Afortunadamente, hoy la masturbación es una práctica que los padres modernos respetan tanto en sus hijos como en sus hijas porque entienden que forma parte de un proceso natural.

—Cuando me masturbo, observo que el semen no me sale con tanta fuerza como he visto en alguna película X. ¿Se disfruta igual si la eyaculación no es muy abundante?

—En primer lugar, hay que decir que este tipo de películas suele exagerar la realidad, y es probable que usen efectos especiales. En segundo lugar, está comprobado que la cantidad de semen expulsado no es directamente proporcional a la satisfacción –para el chico o la chica– en el orgasmo. En la mayoría de los casos, la cantidad de esperma que se eyacula es la que cabe en una cucharita, lo demás son fantasías animadas.

¿Es normal masturbarse? ¿Puede ser perjudicial?

No sólo es normal sino que, además, es un hecho natural y totalmente inofensivo; esta es la conclusión a la que han llegado los expertos en sexología. Esto, que parece tan obvio en la actualidad, no lo era en el pasado. Antiguamente, se asociaba la autosatisfacción con el pecado y se aseguraba que podía provocar una serie de enfermedades y trastornos que iban desde la tuberculosis a la meningitis, pasando por la impotencia, la frigidez, el acné o la caída del cabello. Y por si fuera poco, se afirmaba que los órganos sexuales se deformaban y el esperma se agotaba. Por suerte, todas estas falsas creencias se han superado hoy en día y han dejado atrás sentimientos de culpabilidad y temores para dar paso a una sexualidad natural, creativa, sana y gratificante.

Aunque la masturbación es inofensiva, hay que señalar que, como con todo, un uso inadecuado puede ser asimismo contraproducente. Por ejemplo, si una persona muy tímida recurre sistemáticamente a esta práctica para aliviar su soledad en vez de relacionarse con los demás, la masturbación le proporcionará un placer momentáneo, pero no le ofrecerá la compañía que necesita y terminará provocándole sentimientos de frustración.

Masturbarse es un hecho natural y totalmente inofensivo.

Algunos jóvenes viven con cierta culpa las primeras masturbaciones compartidas. Jugar al doctor, a papás y a mamás... forman parte de los muchos juegos eróticos infantiles y de la pubertad que contribuyen al desarrollo de la sexualidad. Es tan normal haberlos tenido como no, haberlos compartido con niños del mismo sexo o del sexo opuesto.

—¿Tener novia y masturbarse con frecuencia puede inhibir el deseo hacia ella? ¿Significa una traición hacia la chica?

—Tener novia y masturbarse son dos cosas totalmente compatibles que no tienen por qué inhibir el deseo sexual ni supone ninguna traición. Además, la libido puede despertarse en cualquier momento, cosa que se puede aprovechar para conocer mejor el propio cuerpo y prepararlo para dar y recibir placer luego en compañía. Incluso se puede practicar la masturbación con la pareja como otra forma de experimentar placer.

¿Las chicas pueden excitarse durante el sueño?

Ya hemos visto anteriormente, cuando hablábamos de las poluciones nocturnas, que los chicos pueden eyacular mientras duermen, a causa de algún sueño de contenido excitante. Las chicas también tienen, como es natural, sueños eróticos, que les llevan a excitarse y a despertarse con la vagina humedecida por un líquido lubrificante. Vemos pues, que los estímulos son similares en ambos casos, pero la respuesta sexual es diferente: ellos eyaculan y ellas se lubrifican.

Más adelante, en la tercera parte de este libro, abordaremos la cuestión de la posible eyaculación femenina, relacionada con la estimulación del controvertido punto G.

Las chicas también tienen sueños eróticos que les llevan a excitarse y a despertarse con la vagina humedecida.

¿QUÉ SIGNIFICA HACER «PETTING»?

En primer lugar, habría que preguntarse de dónde proviene el término *petting*, tan familiar entre los jóvenes. Pues bien, *petting* es una expresión inglesa y americana muy antigua, procedente del verbo *to pet,* que alude al hecho de acariciar, mimar, besuquear... Aunque puede usarse en un sentido amplio, que abarca desde las carantoñas que se hacen a los animales de compañía hasta los mimos que prodigan las mamás a sus bebés, cuando hablamos de relaciones sexuales, el *petting* se convierte en un intercambio de muestras de afecto, en una especie de juego amoroso y placentero, en el que todo está permitido, excepto el coito.

En cuanto a los motivos que llevan a muchos jóvenes a practicar esta forma de intercambio de caricias, prevalece por encima de todos el de evitar un posible embarazo cuando no se tienen a mano otros medios anticonceptivos o no se quiere recurrir a ellos. Otras razones pueden ser el miedo a contraer alguna infección o el deseo de conservar el himen intacto hasta la noche de bodas.

¿Acaso estamos hablando de una técnica que requiere aprendizaje? El *petting* no es una técnica que deba aprenderse en ningún manual, sino que se desarrolla de forma natural y progresiva, a medida que los miembros de la pareja van cogiendo confianza. No existe una fórmula universal que pueda aplicarse en todos los casos: se puede acariciar o besar cualquier parte del cuerpo, lamer los lóbulos de las orejas, dar masajes sensuales... Existen múltiples fórmulas para llegar al orgasmo sin tener que pasar por la penetración.

> El *petting* se convierte en un intercambio de muestras de afecto, en una especie de juego amoroso y placentero, en el que todo está permitido, excepto el coito.

Los detractores del *petting* creen que las verdaderas relaciones sexuales tienen que acabar en el coito. Quizá esta idea se asocia de alguna manera con el hecho de la reproducción. Pero la sexualidad puede expresarse de mil formas y todas ellas son igual de válidas.

–Algunos de mis amigos dicen que el petting no es lo normal, incluso afirman que es perjudicial. ¿Tienen razón?

–En las relaciones sexuales entre dos personas, lo anormal es hacer algo que vaya contra la voluntad de uno de ellos. Lo que se escoge libre y voluntariamente y satisface a ambos, rara vez puede perjudicar. Además, también de adultos este tipo de relación es muy placentera. Lo cierto es que no existe ningún estudio que demuestre que el *petting* pueda dañar seriamente la salud. Por el contrario, el tener un embarazo no deseado sí puede acarrear graves problemas, especialmente si ocurre a una edad muy temprana.

SEGUNDA PARTE

DE 15 A 17 AÑOS

¿CUÁL ES LA DIFERENCIA ENTRE PUBERTAD Y ADOLESCENCIA?

Pubertad y adolescencia son dos términos que a veces se confunden. Esta confusión es absolutamente normal, pues ambos conceptos están estrechamente unidos. En el capítulo anterior, decíamos que la pubertad es la etapa en la que los órganos sexuales primarios inician su madurez y empiezan a aparecer los secundarios. Aquí añadiremos que, con ella, comienza esa fase más amplia llamada adolescencia.

A la pubertad la podemos considerar un fenómeno biológico por el cual el cuerpo experimenta una serie de transformaciones sexuales que permiten la procreación. La adolescencia se deriva de la pubertad, ya que es la respuesta psíquica y social originada por los cambios corporales. Pero la gran diferencia entre una y otra etapa es que en la pubertad se descubre el sexo y durante la adolescencia se da un paso más allá, es decir, se ponen en práctica los descubrimientos anteriores, aparecen las fantasías sexuales, los genitales se definen... Algunos jóvenes tienen ya sus primeras relaciones sexuales completas, marcando un límite muy difuso entre su comportamiento y el de los adultos. Si la pubertad se convierte en algo similar a un juego exploratorio en el que prima el instinto, en la adolescencia ese juego va volviéndose poco a poco más consciente. Sobre la adolescencia se ha escrito mucho y las definiciones han cambiado a lo largo del tiempo. Antiguamente, se la asociaba a una etapa de transición desde la irresponsabilidad hasta la responsabilidad. Hoy en día estamos más cerca de creer que se trata de una época de tránsito desde la infancia hasta la edad adulta, en la que los jóvenes, además de consolidar las transformaciones físicas iniciadas en la pubertad, construyen su propia personalidad. Es pues, un tiempo de cambio, de descubrimientos, en el que el pensamiento, las emociones o los sentimientos están a flor de piel.

La adolescencia tiene su punto de partida con la pubertad. Lo que no está tan claro es cuándo acaba la etapa adolescente.

Tanto la pubertad como la adolescencia coinciden en la fecha de inicio, fácilmente identificable, ya que los cambios corporales son visibles. Lo que no está tan claro es cuándo acaba la etapa adolescente. Algunos especialistas fijan la edad final del adolescente alrededor de los diecinueve años, pero esta cifra puede cambiar en función de diversas variables, como son la educación, la autonomía económica, etc. Parece evidente que, en nuestra sociedad, la adolescencia se ha alargado en los últimos años, debido a que los jóvenes dedican más tiempo a los estudios y se independizan a una edad más tardía. Hay que recordar que la adolescencia, tan familiar entre nosotros, no es un concepto universal, puesto que en algunas sociedades primitivas los niños se trasforman en adultos de la noche a la mañana, por medio de ritos.

Durante la adolescencia se da un paso más allá, es decir, se ponen en práctica los descubrimientos anteriores, aparecen las fantasías sexuales, los genitales se definen...

¿QUÉ ES LA RESPUESTA SEXUAL?

Antes de abordar este tema desde un punto estrictamente fisiológico, habría que matizar que la sexualidad es una realidad muy rica y compleja en la que se mezclan el erotismo, la afectividad y la capacidad de reproducción. Es pues, una fuente de placer y descarga de las tensiones, pero también nos brinda la oportunidad de comunicarnos y de intercambiar ternura y afecto. Asimismo, nos ofrece la posibilidad de concebir hijos de forma libre y responsable.

Tras este preámbulo, y entrando ya en materia, podemos decir que la respuesta sexual humana es la forma que tiene nuestro cuerpo de reaccionar a la estimulación erótica. La contemplación de ciertas imágenes, el susurro al oído de frases amorosas o el olor de la persona deseada pueden ser suficiente para despertar la libido. Y, por supuesto, el tacto, ya que la forma más efectiva de estimulación sexual suelen ser las caricias, especialmente en los genitales y en las zonas erógenas (orejas, pezones, nuca, muslos, ano...). La imaginación, a través de las fantasías sexuales, también juega un papel muy importante en el terreno erótico.

Durante las relaciones sexuales, el comportamiento puede variar mucho de una persona a otra. Hay quienes jadean ruidosamente, en cambio a otros apenas se les oye. A algunos les gusta mirar directamente a los ojos de su pareja, otros los cierran para concentrarse mejor. Unos adoptan siempre las mismas posturas, a otros les encanta variar; están los que necesitan hablar y los que no, lo cierto es que no existen reglas fijas.

La respuesta sexual también puede desencadenarse por medio de la masturbación o de la relación con una persona de otro sexo. Sea como sea la forma en que se lleve a cabo la estimulación sexual, la respuesta fisiológica es siempre la misma.

Tanto en el cuerpo del hombre como en el de la mujer, se dan dos respuestas básicas ante la estimulación sexual: la vasocongestión y la miotonía. La primera consiste en una afluencia masiva de sangre a los vasos de las zonas genitales, que provoca un aumento en el tamaño y una variación en el color de los tejidos afectados. La miotonía es el aumento de la tensión muscular. A medida que la excitación se acelera aumenta la vasocongestión y la miotonía, que llegan a su punto máximo cuando se alcanza el orgasmo. Después de los espasmos orgásmicos, los vasos sanguíneos se vacían y los músculos se relajan hasta volver a su forma inicial.

Aunque dividir la respuesta sexual pueda parecer algo artificial, ya que, de hecho, esta experiencia se vive como un continuo, los investigadores distinguen, para su estudio, cuatro fases: *excitación*, *meseta*, *orgasmo* y *resolución*. Algunos incluyen también una fase previa denominada *deseo sexual* pues consideran que este es un requisito fundamental para que tenga lugar la estimulación sexual. En los próximos apartados las desarrollaremos, teniendo en cuenta las diferencias entre ambos sexos.

La respuesta sexual humana es la forma que tiene nuestro cuerpo de reaccionar a la estimulación erótica. Al ponerse en marcha la respuesta sexual, la sangre afluye en mayor cantidad hacia los órganos genitales y la tensión muscular aumenta de forma generalizada. Ambos procesos se resuelven casi siempre por medio del orgasmo.

LA FASE DE EXCITACIÓN

Ellos

Una de las primeras señales de excitación sexual masculina es la erección. En esta fase, los tejidos esponjosos de su órgano genital se llenan de sangre, de tal modo que ésta queda atrapada en el interior haciendo aumentar el tamaño y la rigidez del pene hasta que se destaca del cuerpo.

Otro de los cambios que se perciben a simple vista es la elevación de los testículos, provocada por un aumento en el grosor y la tensión de la piel del escroto. A raíz de este movimiento, los testículos quedan pegados al abdomen y se hacen más grandes. En algunos casos pueden aumentar hasta un 50 % de su volumen en reposo.

Existen una serie de transformaciones menos perceptibles que las anteriores, que pueden sucederse durante la fase de excitación. Por ejemplo, la erección de los pezones, el oscurecimiento del color de los genitales o el aumento de la temperatura corporal.

–Cuando salgo con una chica que me gusta, me excito tanto que hasta me duelen los testículos. ¿Puede esto perjudicarme en un futuro si sucede con frecuencia?

–Es normal que duelan los testículos si la excitación no acaba en el orgasmo y la posterior eyaculación, ya que la inflamación y la tensión de los genitales ha de resolverse de una forma más lenta. No creo que esto te perjudique en el futuro, pero sí parece obvio que los dolores actuales son una molestia fácilmente evitable en el presente.

Ellas

En esta fase se producen diversos cambios fisiológicos que se reflejan principalmente en los genitales, los senos y la epidermis. Ante la excitación, la mujer responde segregando un líquido viscoso que actúa de lubricante vaginal. Este lubricante natural permite que el coito se realice con suavidad.

El incremento de sangre hacia los genitales hace que los labios menores se oscurezcan y aumenten de tamaño. En cambio, los labios mayores se aplanan, se abren y quedan menos visibles. El orificio vaginal se ensancha, mientras que la parte posterior se hincha, de modo que si hubiera penetración, el miembro viril quedaría comprimido dentro del órgano femenino. Asimismo, el útero se eleva, estirando la vagina y haciéndola un poco más larga.

A diferencia de la erección masculina, la femenina normalmente pasa desapercibida a los ojos. No obstante, el proceso es muy similar en ambos sexos. Cuando la chica está excitada, el clítoris se pone duro, aumenta de tamaño y se desplaza bajo el prepucio hasta hacerse visible.

Algunas mujeres experimentan también una erección en sus pezones, así como un ligero aumento en el volumen de los pechos.

—Cuando me excito, segrego un abundante líquido viscoso. No sé si la cantidad de mi flujo es normal o no.

—No tienes que preocuparte ya que eso demuestra que tu respuesta sexual a la estimulación erótica es positiva. El hecho de que el flujo sea más bien abundante te ayudará a mantener unas relaciones sexuales más agradables que si fuera escaso. Ten en cuenta que, tanto la cantidad, como la densidad o el olor de estas secreciones varían de una mujer a otra, e incluso pueden cambiar en la misma persona, según las circunstancias.

LA FASE DE MESETA

Ellos

Cuando la fase de excitación llega hasta su punto máximo, todos los cambios producidos se mantienen en su nivel más alto durante un cierto tiempo, llamado «meseta», proporcionando una agradable sensación de placer.

El chico puede notar una especie de presión o calor en la zona de la pelvis, que está provocada por el estrechamiento de los vasos sanguíneos en esta parte del cuerpo, especialmente en las vesículas seminales y la próstata.

Durante este momento de aparente calma, la tensión muscular se incrementa. El ritmo cardiaco y la respiración se aceleran. Aumenta asimismo la presión sanguínea.

Hay que recordar que los chicos segregan unas gotitas de un líquido claro preeyaculatorio proveniente de las glándulas de Cowper, que pueden contener algunos espermatozoides vivos capaces de causar el embarazo.

La duración de esta fase es muy variable. Hay parejas que prolongan voluntariamente este momento por medio de los juegos amorosos para conseguir una mayor satisfacción.

Ellas

Los cambios alcanzados en la fase anterior de excitación se mantienen e intensifican también en las chicas durante un cierto tiempo. Quizá la variación más significativa es que el clítoris se retrae de nuevo bajo la membrana que lo recubre, haciéndose más inaccesible.

Poco a poco, los niveles de excitación se van incrementando para preparar la llegada del orgasmo. Los pechos siguen creciendo y la areola se dilata. La vagina sigue expandiéndose. Aumenta la congestión vascular en los labios menores. Los labios mayores se separan aún más.

A muchas mujeres les salen unas manchas rojizas por algunas zonas de su cuerpo. Este fenómeno es conocido como «rubor sexual» y no debe preocuparles ya que se debe a un aumento de la circulación de la sangre bajo la piel.

Finalmente, tienen en común con los chicos el incremento en la tensión muscular y la presión sanguínea, así como la aceleración del ritmo cardiaco y la respiración.

LA FASE DE ORGASMO

Ellos

En esta fase, la más placentera de todas, que en el chico suele coincidir con la eyaculación, es cuando se descarga toda la tensión acumulada en los dos pasos anteriores. El proceso fisiológico consiste en una serie de rítmicas contracciones musculares de los genitales internos, que dan lugar a que el esperma salga en pequeñas porciones a través de la uretra.

Antes de sentir el orgasmo, el hombre presiente la llegada del esperma y más o menos controla la situación hasta que nota que la eyaculación es inminente y le resulta imposible evitarla.

Generalmente, el orgasmo se describe como una sensación sumamente intensa, capaz de hacer que uno se desconecte del mundo por unos instantes. Tras la eyaculación, sobreviene una relajación muscular y una ligera somnolencia. A diferencia de las chicas, que pueden experimentar orgasmos seguidos, los chicos necesitan que transcurran unos minutos para estar en condiciones de tener otro.

Ellas

Con el orgasmo, la mujer se libera de toda la tensión acumulada en las fases anteriores y lo hace mediante contracciones rítmicas, que coinciden con el momento de máximo placer. Estas convulsiones tienen lugar en el tercio externo de la vagina –plataforma orgásmica–, en el útero y en el esfínter anal. Incluso, en algunas ocasiones pueden darse por todo el cuerpo.

El número de contracciones necesarias para alcanzar el orgasmo puede variar mucho. A veces no llegan a cinco, otras se triplica esta cifra. Pero en todos los casos, la sensación final es muy similar: la mente se queda en blanco, centrada en esta actividad.

Tras el orgasmo, todas las zonas alteradas vuelven paulatinamente a su estado inicial. La areola recupera su tamaño y color; poco después los pezones hacen lo mismo; los músculos se relajan; los genitales recobran su aspecto primigenio. Como suele decirse, después de la tempestad sobreviene la calma.

Se habla mucho de los orgasmos múltiples en las mujeres. Los investigadores norteamericanos Masters y Johnson llegaron a la conclusión de que, si se continuaba con una estimulación sexual adecuada, las mujeres podían lograr varios orgasmos sin tener que esperar un tiempo ni volver a las fases anteriores. Hay que señalar que, si bien, esta es una capacidad netamente femenina, en pocos casos se lleva a la práctica. Es más, algunas mujeres confiesan no haberlos sentido nunca.

Existe también una polémica en torno a las cualidades del orgasmo vaginal o clitoriano. Ante esto, se puede decir que, en las paredes de la vagina no hay nervios sensitivos, por lo que fácilmente podemos deducir que el origen fisiológico del orgasmo vaginal se encuentra en la frotación indirecta del clitoris por el pene en su movimiento de vaivén. ¿Conclusión? Ambos orgasmos son igual de buenos, puesto que el origen es el mismo.

–¿Tienen razón los que dicen que no hay experiencia sexual más maravillosa en una pareja que la de alcanzar el orgasmo al mismo tiempo?

–Este es uno de los tantos tópicos que corren en torno al sexo. Puede ser maravilloso si ambos miembros de la pareja lo experimentan así. Pero en la relación entre dos personas no conviene marcarse objetivos como si se tratara de una competición. Uno no debe obsesionarse con la idea del orgasmo sincronizado, pues este prejuicio se convierte más en un obstáculo que en otra cosa. Tanto da llegar al mismo tiempo, como que uno llegue primero y el otro después. Lo realmente importante es que ambos disfruten de la relación.

LA FASE DE RESOLUCIÓN

Ellos

Es la última etapa de la respuesta sexual. Durante la fase de resolución, se siente una gran relajación en todo el cuerpo y el organismo va retornando poco a poco a su estado normal.

El pene, que había permanecido erecto desde la excitación hasta el orgasmo, va perdiendo rigidez progresivamente a media que la sangre acumulada se retira. Asimismo, los testículos decrecen y se separan del cuerpo para colocarse en su lugar habitual.

Tras la eyaculación, en los chicos, es preciso que pase un cierto tiempo (período refractario) antes de estar en condiciones de responder a nuevos estímulos sexuales.

Cuando se produce una excitación intensa sin llegar al orgasmo, la fase de resolución se alarga. En este caso, pueden notarse ciertas molestias, como una ligera presión o dolor en los testículos.

Estos síntomas desaparecen con las poluciones nocturnas o mediante la masturbación.

Ellas

Después del orgasmo, la chica siente un gran bienestar. Es el momento en el que se invierten todas las modificaciones experimentadas anteriormente.

Por un lado, los pechos recuperan su tamaño y aspecto inicial: se hacen más pequeños; la areola, que se había dilatado, se contrae y los pezones dejan de estar erectos. Por otra parte, la vagina se va descongestionando progresivamente y recupera su tamaño normal, a medida que la sangre acumulada en esta zona se retira. También el útero y el clítoris recuperan su aspecto y color originales.

Una vez alcanzado el orgasmo, el clítoris queda tan sensibilizado que una nueva estimulación puede provocar sensaciones desagradables. En el caso de que hubiera aparecido el rubor sexual, en esta fase irá desapareciendo poco a poco.

Si tras la excitación intensa la chica no llega al orgasmo, la fase de resolución se prolonga en el tiempo, igual que les ocurre a los chicos, provocando sensaciones molestas en la región de la pelvis.

¿QUÉ ES LA EYACULACIÓN PRECOZ?

Según la Organización Mundial de la Salud y la Asociación Mundial de Sexología, la característica principal de la eyaculación precoz estriba en la carencia de un control voluntario y adecuado del reflejo eyaculatorio. En términos más sencillos, esto significa que el hombre, durante el encuentro sexual, tiene por lo general buena erección, pero expulsa el semen con tanta rapidez que no da a su pareja el tiempo necesario para disfrutar de su propio orgasmo. Incluso, a veces, el «derrame» es tan precipitado que se produce antes de la penetración. Si sucede con mucha frecuencia, este trastorno puede acarrear sentimientos de angustia e insatisfacción en ambos miembros de la pareja.

Las causas de la eyaculación precoz pueden ser físicas, hormonales o debidas a la ingestión de ciertos fármacos. Pero la mayoría de las veces, el origen hay que buscarlo en el exceso de pasión (la fogosidad de la primera vez o cuando se deja pasar mucho tiempo entre una relación sexual y otra), un aprendizaje inadecuado (prisas por el temor a ser sorprendidos), la falta de información, los problemas con la familia, la ansiedad o el estrés.

Estamos hablando de un problema que, aunque por lo general no reviste gravedad, se ha convertido en uno de los trastornos sexuales más frecuentes entre los hombres (afecta en torno al 25 %) y en el principal motivo de consulta sexológica.

Tratamientos

Si la eyaculación precoz se produce por una falta de disciplina corporal, cualquier hombre puede hacerla reversible mediante un adiestramiento adecuado. Con paciencia y constancia, logrará percibir las sensaciones que indican la inminencia del orgasmo, hasta llegar a controlar voluntariamente la eyaculación. Conviene en estos casos que se ponga en manos de un buen terapeuta que diagnostique las causas exactas y prescriba el tratamiento más adecuado.

Existen varios métodos, con una tasa de éxito cercana al 100 %. Uno de ellos, conocido como *stop and go*, que puede traducirse como «parada y arranque», fue desarrollado por el médico americano James Semans para enseñar a controlar la eyaculación. La mujer estimula el pene del hombre y para justo en el momento en el que él nota que se acerca el orgasmo. Tras una pausa de unos minutos, se vuelve a repetir el ejercicio, y así varias veces más durante unos días. Este ejercicio puede realizarlo también el hombre solo, por medio de la masturbación.

La característica principal de la eyaculación precoz estriba en la carencia de un control voluntario y adecuado del reflejo eyaculatorio.

Otro tratamiento, el de la «técnica de compresión», ideado por Masters y Johnson, requiere la colaboración activa de la mujer, ya que ésta deberá comprimir hábilmente el glande durante unos ejercicios dirigidos por el terapeuta. También cuando las mujeres contraen y relajan rítmicamente la vagina ayudan a controlar o retrasar la expulsión del semen y al mismo tiempo fortalecen los músculos de la pelvis.

–*¿Cómo saber si uno es un eyaculador precoz? ¿Cuánto tiempo se debe controlar para considerarse normal?*

–Cuando se mantienen relaciones sexuales, la excitación va subiendo de tono hasta alcanzar la fase de meseta. En este momento, el chico mantiene el grado de placer alcanzado en las etapas anteriores hasta que, voluntariamente, decide llegar al orgasmo. Pero, en los casos de eyaculación precoz, al no poder permanecer en la fase de meseta, se pasa directamente de la excitación al orgasmo. En cuanto al tiempo, no hay un acuerdo unánime, ya que todas las definiciones que se dan tienen sus limitaciones. Unos sexólogos hablan de precocidad cuando la eyaculación se produce entre treinta y noventa segundos después de la penetración, otros dan un margen de dos minutos. Sea como sea, lo que sí está claro es que se convierte en un quebradero de cabeza cuando el tiempo es inferior al que necesita la chica para quedar satisfecha.

¿CUÁL ES LA DIFERENCIA ENTRE ORGASMO Y COITO?

Al hablar de la respuesta sexual humana, explicábamos que el orgasmo, tanto en el hombre como en la mujer, es la culminación del placer sexual. En cambio, se dice que hay coito, cópula, acto sexual o unión carnal, cuando el hombre introduce el pene dentro de la vagina de la mujer para eyacular. Por tanto, no es lo mismo orgasmo que coito. Al primero se puede llegar por muchos medios: a través del coito, de la masturbación, del roce. Simplificando, podríamos decir que el coito es uno de los múltiples caminos que conducen al orgasmo.

Antes de llegar al coito, la pareja suele entregarse a un preámbulo basado en un sinfín de juegos amorosos: caricias, besos, masajes... que aumenta la excitación para que la cópula se produzca de forma deseable y satisfactoria para ambos. La duración de este preludio es indefinida, todo dependerá de la habilidad que tenga la pareja para alargar más o menos la fase de meseta.

En el momento del coito, es habitual que la chica ayude con sus manos a introducir el pene de su compañero en la vagina. Una vez dentro, uno de ellos o ambos, realizan un movimiento ascendente y descendente. Con este vaivén, el pene entra y sale rítmicamente y al rozar las paredes vaginales produce en la pareja sensaciones cada vez más placenteras, hasta llegar al orgasmo.

Sin una estimulación previa del clítoris, la mayoría de las mujeres no logra alcanzar el orgasmo con el coito. De ahí, la importancia decisiva de las caricias preliminares y la postura que permita la frotación del clítoris. Asimismo, mientras se realiza el acto sexual el hombre o la mujer pueden acariciar el clítoris para provocar el orgasmo y aumentar el placer femenino.

–¿Es tan importante el orgasmo en una relación sexual?

–En el mundo occidental, se exagera mucho la importancia del orgasmo, como si llegar a él fuera el objetivo principal de una relación sexual. En cambio, los orientales se recrean más en los preliminares y no se fijan una meta de antemano. Tener un orgasmo es una sensación placentera, pero el encuentro, las caricias, los besos, la comunicación entre dos personas también lo es. Ambas opciones son igual de válidas y de placenteras.

¿A QUÉ EDAD SE PUEDEN TENER RELACIONES SEXUALES COMPLETAS?

Según datos estadísticos recientes, la mayoría de los jóvenes españoles tiene sus relaciones sexuales completas a los 16,5 años, un poco más tarde que la media a nivel mundial, situada en 15,9 años. Pero estos datos son sólo orientativos puesto que para la sexualidad no se pueden poner fechas de inicio, ya que todo dependerá de las circunstancias y de la madurez de cada persona. Cuando un chico y una chica se enamoran, desean estar el mayor tiempo posible juntos para demostrarse sus sentimientos con palabras, gestos, caricias, besos... hasta que a ambos les apetece «ir más allá».

Unos perderán la virginidad antes y otros después, pero esto no es lo fundamental, ya que no se trata de una competición. Lo que verdaderamente importa es sentir que ha llegado el momento, y hacerlo de una forma libre y responsable, respetando los deseos propios y los del compañero o compañera. Nunca se deberá presionar para que el otro haga lo que no quiere.

Otro de los planteamientos que suelen hacerse los adolescentes es si hay que estar o no enamorado para hacer el amor. Insistimos en lo que ya hemos dicho anteriormente: para hacer el amor o tener relaciones sexuales, el requisito indispensable es el respeto mutuo. A partir de esta premisa, es posible que no haya implicación afectiva pero sí atracción hacia la otra persona, pero aún así la relación debe llevarse a cabo si ambos están de acuerdo.

En el sexo, como en muchos otros aspectos de la vida, lo importante es hacer las cosas por uno mismo, no porque haya llegado el momento de hacerlo.

En la sexualidad no se pueden poner fechas de inicio. No existen *a priori*, puesto que todo dependerá de las circunstancias y de la madurez de cada persona.

¿SE PUEDE TENER UNA RELACIÓN SEXUAL SIN PENETRACIÓN?

Mucha gente considera que una relación sexual sin penetración es incompleta y hay quienes hasta la consideran un apaño. Pero lo cierto es que dos personas pueden relacionarse sexualmente de una forma intensa, plena y satisfactoria, sin necesidad de llegar al coito.

Es absurdo menospreciar el encuentro entre dos personas y subordinarlo a un fin prefijado de antemano. Una relación en la que la libido de ambos se estimula y se da rienda suelta a la fantasía, a los besos, abrazos, caricias, etc., es, sin duda, una relación sexual «con todas las de la ley». Que después haya penetración o no, es una consecuencia posterior que no influye en la calidad de la relación. Tampoco es indispensable alcanzar el orgasmo o la eyaculación.

Además, está comprobado que la casi totalidad de las mujeres no alcanza el orgasmo por medio de la penetración, por tanto, la exagerada importancia que se le otorga a esta forma de satisfacción sexual, como si fuera la única posible, puede provocar sentimientos de frustración en ellas y de incompetencia en ellos. La sexualidad es un terreno abierto y flexible que demanda respeto y rechaza imposiciones.

Dos personas pueden relacionarse sexualmente de una forma intensa, plena y satisfactoria, sin necesidad de penetración.

¿Es posible la penetración sin erección?

Es evidente que el coito se realiza con mayor facilidad cuando el hombre tiene el pene erecto, pero también es posible llevar a cabo la penetración cuando el miembro viril está flácido. Y no debe de ser tan infrecuente esta variante de juego sexual, puesto que existe un término inglés para designarla: *soft penetration*, es decir, penetración blanda.

El que se consiga o no la penetración de esta forma, dependerá de la habilidad y complicidad de la pareja. La chica suele coger el pene entre sus dedos y lo va introduciendo suavemente en su vagina. Una vez dentro, lo más habitual es que el pene adquiera rigidez al compás de ligeros movimientos de pelvis y del calor interno de la vagina.

Otra duda habitual entre los jóvenes y que guarda relación con el tema es la de si un hombre puede eyacular sin haber alcanzado la erección. La respuesta es afirmativa: un hombre puede eyacular sin tener erección (este es un hecho que se produce en ocasiones), ya que ambos procesos son independientes y se controlan de forma distinta. Durante la erección, los cuerpos cavernosos del pene experimentan una vasodilatación, gracias a una mayor afluencia de sangre en la zona. Y en la eyaculación, se expulsa el semen a través de la uretra. De todas formas, habría que matizar que, aunque se trate de dos fases diferentes que no se derivan siempre la una de la otra, en la mayoría de los casos, la eyaculación se produce con el pene erecto.

Es posible llevar a cabo la penetración cuando el miembro viril está flácido.

IMPOTENCIA NO ES FALTA DE ERECCIÓN

Impotencia

Impotencia, o disfunción eréctil, como la llaman los médicos, es la incapacidad repetida de alcanzar o mantener una erección lo suficientemente rígida como para permitir el coito. ¿Cómo saber si uno padece este trastorno? ¿Cuántas veces tiene que ocurrir la falta de erección? se preguntarán muchos chicos. Los especialistas hablan de impotencia cuando la disfunción se presenta por lo menos en el 25 % de los intentos. No hay que confundirla con la falta de erección pasajera o «gatillazo» que suelen experimentar casi todos los hombres en algunos momentos de su vida.

Falta de erección

La simple falta de erección puede ocurrir ante una situación en la que el chico se encuentra tenso o presionado, quizá por el temor a «no estar a la altura de las circunstancias», como cuando tiene por primera vez una relación sexual con una chica que le gusta mucho. Algunos chicos pierden la erección al colocarse el preservativo, quizá porque no tienen mucha habilidad o porque al concentrarse en esta acción pierden parte de su excitación. Asimismo, el consumo de alcohol es contraproducente, pues si bien al principio aumenta el deseo y uno se encuentra más desinhibido, también reduce la sensibilidad genital. Estos incidentes suelen ser pasajeros y se van resolviendo casi siempre a medida que se tiene más confianza con la pareja. Por ello, no hay que darles demasiada importancia, pues de lo contrario pueden convertirse en una obsesión y derivar en una impotencia psicológica.

A continuación, nos centraremos en la verdadera impotencia, la que precisa de atención médica para su curación.

Tipos de impotencia

Existen tres grados de impotencia: primaria, secundaria y situacional. La primaria existe desde los inicios de la vida sexual; la secundaria, aparece en hombres que anteriormente han tenido erecciones satisfactorias; y la situacional, sobreviene sólo en algunas situaciones concretas o con determinadas personas. Afortunadamente, los casos en los que nunca se ha logrado una erección satisfactoria –la primaria–, sólo representan el 10 % del total de las impotencias.

Causas

La impotencia puede deberse a causas físicas o psíquicas. La mayoría de disfunciones eréctiles están relacionadas con problemas psicológicos en los jóvenes. En los hombres mayores de cuarenta y cinco años también influyen en un alto porcentaje las alteraciones físicas. Como es el caso de la diabetes, la tensión arterial alta, el exceso de colesterol o las enfermedades cardiacas, entre otras, que pueden afectar a los vasos sanguíneos y restringir la afluencia de sangre hacia el pene.

También ciertos fármacos empleados para combatir las depresiones, la hipertensión o la obesidad, pueden dificultar o impedir la erección como efecto secundario. Los bajos niveles de testosterona, la depresión nerviosa o el abuso del tabaco, alcohol y otras drogas, se encuentran asimismo en el origen de algunas impotencias.

Tratamiento

Todavía existen muchos mitos sobre la sexualidad masculina, que inciden negativamente en los hombres a la hora de buscar ayuda para un trastorno que podría beneficiarse, en la mayoría de los casos, de un tratamiento seguro y eficaz. Esto explica por qué sólo alrededor de un 10 % de los que padecen este trastorno optan por ir a la consulta de un especialista. El resto, achaca el problema a su pareja, a causas ajenas a sí mismo o busca remedio en pócimas milagrosas de dudoso efecto.

Si existe una barrera psicológica que provoca impotencia lo mejor es acudir a un psicólogo, en cambio, si el problema es físico conviene comentarlo con el médico de cabecera que sabrá tratarlo adecuadamente.

–¿Alguien que sea impotente puede dejar embarazada a una chica?

–Sí, porque impotencia no es sinónimo de esterilidad. El hombre impotente tiene dificultades para lograr la erección, pero, como hemos explicado anteriormente, incluso en el estado de flacidez, existe la posibilidad de penetración y, por tanto, de eyaculación dentro de la vagina. Siempre han de tomarse medidas de prevención para evitar un embarazo no deseado, puesto que, aunque no se llegue a la penetración, el semen vertido junto al orificio vaginal contiene espermatozoides que podrían ascender hasta las trompas de Falopio e iniciar así el proceso de fecundación.

¿SIGNIFICA LO MISMO SEXUALIDAD Y REPRODUCCIÓN?

A veces pueden ir estrechamente unidos, pero se trata de dos conceptos distintos que no hay que confundir. La sexualidad es el «conjunto de condiciones anatómicas y fisiológicas que caracterizan a cada sexo» como suelen definir los diccionarios. Nacemos con ella y nos acompaña durante toda la existencia.

La sexualidad es una maravillosa fuente de comunicación, una forma de expresar sentimientos de ternura y afecto, un modo de proporcionar y recibir placer... También puede ser una actividad encaminada a la procreación, pero solamente cuando así se desee, de forma libre y responsable. Es hermoso disfrutar de unas relaciones sexuales sanas y tener hijos, pero hay que saber diferenciar ambas cosas. Los jóvenes han de tener en cuenta que, incluso en los primeros contactos, puede producirse un embarazo.

¿A QUÉ EDAD DEBEN EMPEZAR A UTILIZARSE LOS MÉTODOS ANTICONCEPTIVOS?

Anteriormente, cuando hablábamos sobre la edad idónea de los jóvenes para comenzar las relaciones sexuales completas, decíamos que no se pueden establecer fechas de inicio de antemano, porque todo depende de las circunstancias personales de cada uno. En cambio, sí puede determinarse claramente el comienzo del uso de los métodos anticonceptivos para evitar un posible embarazo: desde el primer momento en el que se mantengan relaciones sexuales con penetración.

La anticoncepción es la forma de evitar el embarazo mediante el uso de métodos o productos que interfieren en los mecanismos que lo hacen posible. Conviene recordar que si se mantienen relaciones sexuales con cierta regularidad y no se usa ningún método anticonceptivo, la probabilidad de embarazo es altísima: en torno al 80 % en un año. Es muy importante conocer bien todos los métodos anticonceptivos existentes para poder elegir el que más se adecue a cada caso. La elección de uno u otro dependerá de múltiples factores, como son la frecuencia de las relaciones, la edad, las preferencias personales, etc. En todo caso, si no se tiene a mano ninguno, el *petting* es la práctica más razonable.

Deberían utilizarse los métodos anticonceptivos desde el primer momento en que se mantengan relaciones sexuales con penetración.

MÉTODOS ANTICONCEPTIVOS

Cuando los jóvenes preguntan cuál es el mejor método anticonceptivo, los especialistas suelen contestar que no existe un método ideal que pueda aplicarse a todo el mundo, puesto que hay que estudiar cada caso en particular. Pero, de forma general, sí puede decirse que el anticonceptivo óptimo debe poseer las siguientes características: ser seguro, inocuo y aceptado con agrado por la pareja.

Actualmente, los métodos anticonceptivos más conocidos y seguros son la píldora, el dispositivo intrauterino o DIU, el preservativo y el diafragma. Estos dos últimos deben usarse con cremas espermicidas para reforzar su eficacia. No tan conocido es el preservativo femenino, del cual hablaremos también. Por otro lado, existen algunos métodos basados en el conocimiento de los períodos fértiles femeninos, pero no son muy seguros. Finalmente, la forma de anticoncepción más radical es la esterilización.

La píldora

Apareció en el mercado europeo hace casi cincuenta años (1961) y, desde entonces, esta minúscula pastilla, conocida también como anovulatorio, se ha convertido en uno de los métodos reversibles más eficaces para prevenir el embarazo. Administrada correctamente, la seguridad supera el 99,5 %. Esto significa que la proporción de fallos es de menos de 0,5 embarazos por cada 100 mujeres que la toman anualmente. Su mayor riesgo es olvidarse de tomarla.

Cada píldora contiene dos hormonas sintéticas similares a las que se producen en el ovario: estrógeno y progesterona. Cuando estas sustancias entran en el torrente sanguíneo, la hipófisis recibe el mensaje de que ya hay suficiente estrógeno y progesterona y deja de dar órdenes al ovario para que las elabore. El ovario, al no ser estimulado, queda sin ovulación, en reposo, en una situación hormonal similar a la que experimentan las mujeres cuando están embarazadas. La píldora provoca también un espesamiento de la mucosa cervical, que dificulta la entrada de los espermatozoides. Asimismo, cambia el endometrio, convirtiéndose en un lugar hostil para una hipotética fecundación.

Se vende en las farmacias, en envases que contienen ventiuna píldoras. La primera pastilla se toma el primer día de la regla y después una diariamente durante los veinte días siguientes. Al finalizar las ventiuna píldoras, se descansan siete días. Tras la semana de descanso, se empieza de nuevo otra caja. Para no olvidarse, conviene tomarla siempre a la misma hora. Este método es eficaz desde la primera toma y continúa siéndolo también durante la semana de descanso, siempre que seguidamente se inicie una nueva caja.

Aunque se dice que puede tomarla cualquier mujer sana, como se trata de un producto farmacológico, es imprescindible la visita médica para poder prevenir posibles contraindicaciones o efectos secundarios. Sólo el ginecólogo podrá valorar la conveniencia de usar o no este método y el tipo de píldora que más se adecua a cada caso, y se encargará de fijar los controles necesarios.

Si antes de empezar a tomar la píldora se seguía otro método anticonceptivo (por ejemplo, el preservativo), conviene mantenerlo simultáneamente hasta acostumbrarse al nuevo, para asegurarse de que no haya olvidos. Cuando se toma la píldora, la cantidad de flujo suele disminuir y las reglas acostumbran a ser menos abundantes y más cortas. Es conveniente realizar una revisión ginecológica anual. Si se produce un olvido, para seguir protegida, hay que tomar la pastilla olvidada antes de que pasen doce horas y luego tomar la siguiente a la hora habitual. Pero si han transcurrido doce horas, ya no hay seguridad, por lo que es preciso tomar la pastilla olvidada, seguir la pauta y utilizar otro método anticonceptivo complementario durante ese ciclo. También se deberá usar otro método anticonceptivo adicional si se producen vómitos o diarreas, ya que en estos casos es probable que el organismo no haya absorbido las sustancias contenidas en la píldora. El uso de determinados medicamentos puede alterar asimismo su eficacia.

No se recomienda su uso antes de los dieciséis años. Este es un margen prudencial que se establece para asegurar que la maduración sexual se ha completado de forma natural y que los ciclos son regulares. Otra advertencia: fumar mientras se toma la píldora, perjudica aún más seriamente la salud.

—¿Tiene algo que ver la «pastilla del día siguiente» con la píldora?

—La «pastilla del día siguiente» o tratamiento poscoital, es un preparado hormonal, pero no es en absoluto un anticonceptivo que pueda tomarse de forma habitual. Se trata de una medida para aplicar en casos de emergencia: violación o fallo de alguno de los métodos de barrera (preservativo o diafragma), ya que actúa modificando el endometrio e impidiendo la implantación de un posible óvulo fecundado. Este tratamiento ha de hacerse bajo control médico, acudiendo a un centro sanitario o de planificación familiar cuanto antes y en un plazo máximo de tres días. Hay que tener en cuenta que si hubiera un embarazo anterior, este tratamiento no sería útil.

El dispositivo intrauterino (DIU)

El dispositivo intrauterino, DIU o espiral, es un pequeño aparato, muy flexible, compuesto de plástico y metal (cobre o plata y cobre) que se coloca en la cavidad del útero con la finalidad de alterar la fisiología de la mucosa uterina e impedir así el asentamiento del óvulo si hubiera sido fecundado. El dispositivo también aumenta el flujo, dificultando el acceso de los espermatozoides, y altera el movimiento de las trompas de Falopio, obstaculizando el recorrido del óvulo hacia el útero.

Existen diversos modelos y tamaños, por lo que el ginecólogo puede escoger el más adecuado al útero de cada mujer. Dependiendo del tipo de DIU elegido, puede durar de dos a cinco años. Suele colocarse y extraerse durante la regla, pues es cuando el cuello del útero se encuentra más abierto. El médico lo inserta, plegado, en el interior de la cavidad uterina, mediante un aplicador. Luego, lo despliega de forma que quede sujeto en las paredes uterinas. Dejando unos pequeños hilos de nailon que servirán para extraerlo cuando sea necesario. Requiere control médico anual y estar al tanto de cualquier pequeña infección vaginal.

Se trata del método más eficaz después de la píldora, pero la seguridad no es total. Se calcula que, de cien mujeres que lo utilizan en un año, dos pueden quedar embarazadas.

Con el DIU, las reglas acostumbran a ser más abundantes, en algunas mujeres esto ocurre sólo los tres primeros meses. Suele aplicarse a partir de los treinta años, aunque no existen contraindicaciones expresas en mujeres más jóvenes.

El preservativo

Conocido también como profiláctico o condón, es uno de los métodos más antiguos utilizados para prevenir el embarazo (en el pasado se hacían con el tejido del vientre de algunos animales). Se trata de una funda muy fina de látex que impide que los espermatozoides entren en la vagina. Si se usa correctamente tiene una eficacia muy alta. No requiere control médico ni receta y se adquiere en farmacias y otros puntos de venta. También hay de colores y texturas variadas y con distintos sabores. De todos modos, la seguridad de los mismos depende de la calidad del látex empleado.

¿Cómo se utiliza?

- Se rompe el envase por un extremo con los dedos, teniendo mucho cuidado de no rasgar el preservativo con las uñas.
- El preservativo se coloca cuando el pene está en erección y siempre antes de cualquier contacto genital. Se mantendrá durante toda la relación.

- Se coge el preservativo y se aprieta la punta con los dedos para evitar que quede aire en su interior.
- Sin dejar de sujetar el depósito, se coloca en el glande y se desenrolla con los dedos, presionando suavemente hasta cubrir el miembro totalmente.
- Tras la eyaculación, hay que retirar el pene de la vagina antes de que pierda la erección. Esto se hará sujetando el preservativo por la base para evitar una salida accidental del semen o que la funda quede dentro de la vagina.
- Después de utilizarlo, se hace un nudo y se tira a la basura.
- El preservativo es de un solo uso, por tanto se utilizará uno nuevo en cada relación, aunque no se haya producido la eyaculación.

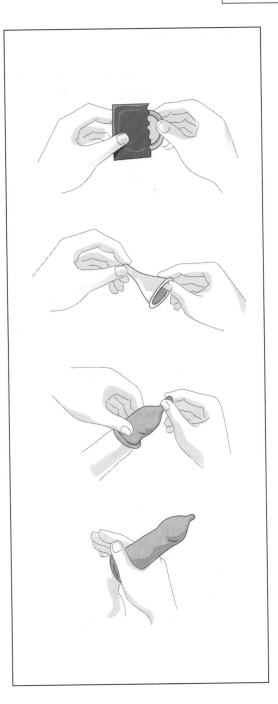

A tener en cuenta

- La efectividad del preservativo aumenta si se combina con productos espermicidas (supositorios vaginales, cremas, geles...)
- Hay que recordar que la eyaculación en la vulva, sin preservativo, puede originar un embarazo.
- El preservativo protege del embarazo no deseado, o del SIDA y de otras enfermedades de transmisión sexual
- Deben ser de látex y estar homologados. Lo mejor es comprarlos en las farmacias y desconfiar de los que se venden en mercadillos ambulantes, tiendas de saldos o máquinas expendedoras expuestas al sol.
- Comprobar antes la fecha, que suele venir en cada bolsita o en la caja. Se desecharán aquellos que estén caducados.
- Si se desea utilizar un lubricante, se escogerán cremas solubles en agua (silicona o glicerina) puesto que los oleosos, como la vaselina, pueden deteriorar el preservativo.
- El lugar adecuado para guardarlos debe ser fresco, seco y seguro, lejos de la luz solar, del calor y los roces. No hay que llevarlo en el bolsillo del pantalón.
- Nunca se utilizarán los condones rotos o pegajosos.

El diafragma

Es un capuchón de caucho flexible, con forma de bombín, que se coloca cubriendo el cuello del útero e impidiendo así que los espermatozoides puedan encontrarse con el óvulo. Deberá utilizarse siempre con crema espermicida para aumentar su eficacia. Es necesario acudir al ginecólogo para elegir el tamaño más adecuado y aprender a utilizarlo. La eficacia de este método ronda el 96 %, siempre que se utilice de forma correcta, cosa no del todo sencilla. No hay que confundirlo con el preservativo femenino, del cual hablaremos más adelante.

A tener en cuenta

- El primer paso será poner crema espermicida en el fondo de la vagina.
- Antes de colocarlo hay que impregnarlo con crema espermicida por ambas caras y por el reborde.
- Se coloca antes del coito y no se retira hasta pasadas ocho horas.
- Es preciso confirmar que está bien colocado, de lo contrario su eficacia es nula.
- En el caso de realizar varios coitos seguidos, no deberá extraerse. Se untará la vagina cada vez con crema espermicida.
- No debe permanecer colocado más de veinticuatro horas.
- La medida del diafragma podría variar ante un aumento brusco de peso o tras un embarazo.
- Es reutilizable. Después de su uso se lava con agua y jabón neutro, se seca muy bien y se guarda en su caja. Conviene mirarlo de vez en cuando a contraluz para asegurarse de que no tenga ningún agujero y tener cuidado de no arañarlo con las uñas. Bien conservado, puede durar hasta dos años.
- Este método no protege contra algunas enfermedades de transmisión sexual ni contra el SIDA.

–¿Qué son exactamente los espermicidas?

–Son sustancias químicas que se utilizan para destruir los espermatozoides y obstaculizar su ascenso hacia las trompas de Falopio. Se presentan en forma de óvulos o crema. Los primeros son como supositorios que se introducen en la vagina unos quince minutos antes del coito. La crema suele ir acompañada de un aplicador para poder ponerla cómodamente en la vagina. Hay que tener muy claro que se trata de un procedimiento con una eficacia muy baja y por tanto debe usarse en combinación con otros métodos, como el preservativo o el diafragma.

Preservativo femenino

Apareció por primera vez en Estados Unidos en 1993 y pronto se extendió por Europa. El preservativo femenino o *femy* es una funda fina de poliuretano que lleva en sus extremos dos aros de diferente diámetro y que se adapta a las paredes de la vagina, impidiendo el contacto del semen con los genitales de la mujer. Se vende en las farmacias sin necesidad de receta. Tiene como ventaja, respecto al preservativo masculino, que no hace falta esperar a que el pene esté erecto. Constituye una buena alternativa para quienes tienen alergia al látex. Previene contra las enfermedades de transmisión sexual y tiene una eficacia anticonceptiva similar a la del diafragma.

Métodos naturales

Quienes optan por estos métodos suelen hacerlo por motivos religiosos o bien porque con ellos no se alteran los ritmos biológicos naturales con sustancias químicas o instrumentos extraños al organismo. Consisten en la abstención de las relaciones coitales durante los días fértiles de la mujer. Es necesario saber el momento de la ovulación y la capacidad de vida del óvulo y del espermatozoide.

Para averiguar cuáles son los días fértiles, existen las siguientes variantes:

- El método Ogino.
- El método de la temperatura basal.
- Billings o método del moco cervical.

Estos métodos son muy poco seguros, ya que el ciclo menstrual de la mujer puede variar por diversos motivos, como puede ser un simple catarro, un disgusto con la familia, la toma de ciertos medicamentos o una infección vaginal. Además, no protegen contra las enfermedades de transmisión sexual. Por otro lado, llevarlos a la práctica resulta un tanto complicado y requiere un buen conocimiento del propio cuerpo.

El método Ogino

Antes de aplicar el método Ogino (o del ritmo o del calendario) hay que controlar los ciclos durante doce meses para comprobar su regularidad. Con este conocimiento, y teniendo en cuenta que el primer día del ciclo es el primer día de la menstruación y el último día del ciclo es el día anterior al inicio de la regla siguiente, se aplica la siguiente fórmula: se restan dieciocho días al ciclo más corto y once días al ciclo más largo. Suponiendo que los ciclos son de veinticinco y de treinta días, el período de abstención de las relaciones coitales será el comprendido entre los días siete y diecinueve.

Ejemplo:
Si los ciclos son de 25 y de 30 días:
25 – 18= 7
30 – 11 = 19
Abstención: del 7 al 19

El método de la temperatura basal

Este método parte de la observación de que la temperatura de la mujer se eleva aproximadamente medio grado tras la ovulación. Al despertarse, cada mañana, hay que ponerse el termómetro debajo de la lengua para detectar la subida de la temperatura que sigue a la ovulación y evitar la penetración durante estos días. Según este procedimiento, el embarazo no se produciría a partir del tercer día de la subida de la temperatura hasta la siguiente regla.

Billings o método del moco cervical

El flujo de la mujer no siempre es igual, sino que cambia en cantidad y consistencia en el transcurso del ciclo, volviéndose transparente y viscoso, como clara de huevo, al aproximarse la ovulación. En esta transformación se basa el método Billings, para determinar los días fértiles. Por tanto, la pareja se abstendrá de practicar relaciones sexuales con penetración en cuanto la mujer note una mayor secreción y transparencia del moco cervical.

La llamada «marcha atrás», consistente en retirar el pene de la vagina antes de la eyaculación, también es un método natural, pero hay que recordar que no ofrece seguridad, puesto que antes de producirse la eyaculación se expulsan unas gotas procedentes de las glándulas de Cowper, que pueden contener espermatozoides.

La esterilización

Se trata de un método anticonceptivo permanente y muy eficaz, pero sólo aconsejable para aquellas parejas que lo demanden y que estén absolutamente seguras de no querer tener hijos. En el hombre, se llama vasectomía: se trata de una operación sencilla, con anestesia local, en la que se practica un corte u oclusión en los dos conductos deferentes, de forma que, pasado un tiempo, la eyaculación tendrá lugar pero carecerá de espermatozoides. En la mujer, se llama ligadura de trompas y la operación, que se realiza con anestesia general, es algo más complicada: se obstruyen o seccionan las trompas de Falopio, impidiendo así el encuentro entre el óvulo y los espermatozoides.

ABORTO

El aborto es la interrupción espontánea o voluntaria del embarazo. En el primer caso, puede producirse por una incapacidad de la matriz para sujetar al embrión. A veces, esta clase de abortos es difícil distinguirlos de una fuerte pérdida de sangre menstrual. Si se sospecha que la hemorragia puede estar causada por un posible aborto, lo mejor es consultarlo cuanto antes con un médico para prevenir posibles complicaciones.

–¿Se puede decir que el aborto es un método anticonceptivo?

–Por supuesto que no, ya que los métodos anticonceptivos tienen como fin evitar el embarazo. El aborto, en cambio, supone el fracaso de dichos métodos, pues significa que se ha producido un embarazo no deseado. Además, aunque se realice por especialistas médicos, suele ser un «mal trago» que afecta, en mayor o menor medida, psíquicamente a la mujer.

Cuando abordamos la Interrupción Voluntaria del Embarazo (IVE), ya entramos en un tema controvertido, en el que partidarios y detractores siguen sin ponerse de acuerdo. Los primeros, argumentando el derecho de las mujeres a elegir la maternidad libremente; los segundos, reclamando el derecho que todo ser tiene a la vida. A nivel mundial, se calcula que, alrededor de dos tercios de las mujeres tienen acceso al aborto legal. En España, desde 1985, se contemplan tres supuestos por los que se puede realizar el aborto sin penalización. La mayoría de las mujeres que lo han solicitado, lo han hecho acogiéndose al supuesto de *peligro para la salud psíquica de la embarazada.*

Ley española del aborto, actualmente vigente
Artículo 417 bis del Código Penal:

1. No será punible el aborto practicado por un médico, o bajo su dirección, en centro o establecimiento sanitario, público o privado, acreditado y con consentimiento expreso de la mujer embarazada, cuando concurra alguna de las circunstancias siguientes:
- Que sea necesario para evitar un grave peligro para la vida o la salud física o psíquica de la embarazada y así conste en un dictamen emitido con anterioridad a la intervención por un médico de la especialidad correspondiente, distinto de aquel por quien o bajo cuya dirección se practique el aborto. En caso de urgencia por riesgo vital para la gestante, podrá prescindirse del dictamen y del consentimiento expreso.
- Que el embarazo sea consecuencia de un hecho constitutivo de delito de violación, siempre que el aborto se practique dentro de las doce primeras semanas de gestación y que el mencionado hecho hubiese sido denunciado.
- Que se presuma que el feto habrá de nacer con graves taras físicas o psíquicas, siempre que el aborto se practique dentro de las veintidós primeras semanas de gestación y que el dictamen, expresado con anterioridad a la práctica del aborto, sea emitido por dos especialistas de centro o establecimiento sanitario, público o privado, acreditado al efecto, y distintos de aquel por quien o bajo cuya dirección se practique el aborto.

2. En los casos previstos en el número anterior, no será punible la conducta de la embarazada aun cuando la práctica del aborto no se realice en un centro o establecimiento público o privado acreditado o no se hayan emitido los dictámenes médicos exigidos.

¿Qué hacer en estos casos?

Si una chica cree que está embarazada, lo primero que debería hacer es acudir a un centro sanitario para confirmarlo y para solicitar toda la información necesaria, de cara a tomar cualquier decisión. Nunca se recurrirá a otras personas o centros que no estén debidamente acreditados y, bajo ningún concepto, se emplearán métodos caseros para provocar el aborto. Hay que recordar que todo lo que no sea ponerse en manos expertas entraña un riesgo para la salud que, en ocasiones, puede ser irreparable.

La píldora abortiva, cuyo verdadero nombre es RU-486 o Mifepristona se utiliza para interrumpir el embarazo, antes de la octava semana. En España hace muy poco que se ha legalizado y se aplica en los hospitales, siempre dentro de los tres supuestos que contempla la ley del aborto.

¿HACIENDO EL AMOR LA PRIMERA VEZ, TE PUEDES QUEDAR EMBARAZADA?

Existen numerosas falsas creencias entre los jóvenes, que pueden tener consecuencias muy «embarazosas», en el sentido literal del término. Una de ellas es la de pensar que «la primera vez no pasa nada». ¿Por qué no ha de pasar nada, si el cuerpo ha adquirido la madurez suficiente como para procrear? De hecho, pasa, y con más frecuencia de lo que se piensa. Sólo en Cataluña, en 1997, se produjeron 756 embarazos no deseados en chicas de catorce a diecisiete años según datos del libro *Salut Jove*, editado por la Direcció General de Salut Pública del Departament de Sanitat i Seguretat Social de la Generalitat de Catalunya.

Los expertos no se cansan de repetir que, para prevenir los embarazos no deseados, hay que desterrar los malentendidos más frecuentes, que son, además del que hemos comentado, los siguientes:

«A mí no me pasará»
«Lavándose bien después de la relación sexual, no hay riesgo»
«Si el coito se hace de pie, no pasa nada»
«Con la regla, no hay riesgo»
«Si la chica no tiene un orgasmo, no hay problema»
«Yo ya lo sé todo sobre el asunto»

Concluyendo: si no se usa ningún método anticonceptivo, siempre hay riesgo de quedar embarazada cuando se tienen relaciones sexuales con penetración. Lo mejor para acabar con los falsos mitos es no tener miedo a preguntar. La familia, los profesores, los médicos o los centros de planificación familiar están para asesorar a los jóvenes, estos últimos cuentan con toda la información necesaria.

¿QUÉ ES LA ESTERILIDAD?

La esterilidad es la incapacidad para llevar a cabo la función reproductora. Y como la procreación es cosa de dos, se dice que una pareja que desea un hijo es estéril cuando, tras mantener relaciones sexuales frecuentes sin utilizar métodos anticonceptivos, no consigue el embarazo en un plazo de unos dieciocho meses.

El origen del problema puede residir en el hombre o en la mujer, y de hecho, diversos estudios apuntan a que, en torno a un 40 % de los casos de esterilidad es atribuible al hombre; otro 40 % lo es a la mujer, y el 20 % restante tendría una causa mixta o desconocida. Sea cual sea el origen, lo que sí recalcan los médicos es que cuando se presenta esta alteración, no hay que buscar «culpables». Se trata de recabar toda la información necesaria para averiguar el porqué de la esterilidad y buscar la solución más adecuada.

Generalmente, se comienza por el hombre, pues es más sencillo. Se hace un estudio del semen (o seminograma) para valorar aspectos tales como el volumen eyaculado, el número de espermatozoides, etc. En la mujer es algo más complicado, y las primeras exploraciones suelen ser una citología y una ecografía.

Las causas más frecuentes de esterilidad son: en el hombre, la baja concentración de espermatozoides; y en la mujer, las alteraciones en la ovulación y las lesiones en las trompas de Falopio.

—Las revistas hablan constantemente de la inseminación artificial, pero ¿qué es exactamente?

—La inseminación artificial consiste en la introducción artificial en el útero de semen (una vez seleccionados los mejores espermatozoides en el laboratorio) de la pareja o de un donante. Esta técnica se emplea si existen problemas de fecundación y el ginecólogo lo aconseja.

CENTROS DE PLANIFICACIÓN FAMILIAR Y SEXUALIDAD

La información es el mejor recurso de que disponen actualmente los jóvenes para disfrutar plenamente de la sexualidad sin miedos y decidir libremente si desean tener hijos, cuántos y en qué momento.

En nuestro país hay numerosos centros de planificación familiar, cuya dependencia de uno u otro organismo oficial varía según la comunidad autónoma de la que se trate. En todos existe un servicio de información para los jóvenes y de planificación familiar.

En estos centros se brinda información sobre:

- Sexualidad
- Orientación sobre enfermedades de transmisión sexual
- Correcto uso de los métodos anticonceptivos
- Problemas en las relaciones de pareja
- Cómo actuar si se rompe el preservativo o se retrasa la regla
- Qué hacer si se tienen molestias ginecológicas o se desea una revisión...

En todos los casos, la atención que se presta es confidencial y gratuita.

−¿Cuándo hay que hacerse una revisión ginecológica?

−No hay una fecha exacta fijada para realizar la primera visita ginecológica. Unos dicen que conviene empezar a los dieciocho años, otros que a los veinticinco, pero casi todos están de acuerdo en que, por regla general, se deben empezar las revisiones al iniciar las relaciones con penetración o incluso un poco antes para aclarar todas las dudas que se tengan al respecto. Luego, si no existen molestias, y para prevenir, es recomendable acudir al médico por lo menos una vez al año.

Direcciones de interés

Federación de Planificación Familiar en España
C/ Almagro, 28, bajos, 2ª
Madrid
Tel. 91 319 92 76 / 91 308 22 86

Centro Joven de Anticoncepción y Sexualidad (CJAS)
C/ La Granja, 19 - 21
Barcelona
Tel. 93 415 10 00
C/ San Vicente Ferrer, 86
Madrid
Tel. 91 531 66 55
En Internet: http://www.arrakis.es/~cjas/

Institut Català de la Dona (ICD)
C/ Porta Ferrissa, 3
Barcelona
Tel. 93 317 92 91
E-mail: icdbcn@seidor.es

Associació de Planificació Familiar de Catalunya i Balears
C/ Pere Vergés, 1 (Hotel d' Entitats)
Barcelona
Tel. 93 278 02 94, extensión 2001

Instituto de la Mujer
C/ Almagro, 36
Madrid
Tel. 91 347 80 00 / 91 347 80 13 / 91 347 80 52
Tel. gratuito: 900 191 010

Centro Xove de Anticoncepción e Sexualidade
C/ Hórreo 39, bajos
Santiago de Compostela
Tel. 981 58 04 66

Línea Sex-Joven
Teléfono de información a jóvenes en fin de semana
De 10 a 22 horas
Tel. 908 10 23 13

Asociación Andaluza de Planificación Familiar Omella
C/ Alberto Lista, 16
Sevilla

Asociación de Planificación Familiar de Castilla y León
C/Prado, 7, local 2
Valladolid
Tel. 983 26 71 83

Asociación de Profesionales de la Planificación Familiar
de la Comunidad Valenciana
C. P. F. de Alboraia
C/ Canónigo Julià, 33, 2º
Alboraia (Valencia)
Tel. 96 185 88 77

Asociación Extremeña de Planificación Familiar y Sexualidad
C/ Juan de la Cierva, 12
Mérida
Tel. 927 39 08 04

TERCERA PARTE

DE 18 A 21 AÑOS

¿QUÉ ES LA SENSUALIDAD?

La sensualidad es una facultad que posee el ser humano, en mayor o menor grado, durante toda su vida y que está estrechamente unida a la sexualidad. Una educación demasiado rígida puede propiciar la inhibición de la sensualidad pero no su desaparición, puesto que se trata de una cualidad inherente a todas las personas.

Un hombre o una mujer sensuales emanan estímulos capaces de excitar o deleitar a quienes son receptivos a sus señales. También saben captar y disfrutar plenamente de todos los momentos de placer que se les brinda. ¿Qué sería de la sexualidad sin la sensualidad? Absolutamente nada, si tenemos en cuenta que, en las relaciones amorosas más gratificantes, suelen ponerse los cinco sentidos.

A través de la vista nos llega la luz que irradia la persona amada, el color de sus ojos, la forma de su cuerpo, la manera de moverse...; mediante el sentido del oído percibimos el tono y el timbre de su voz, sus palabras cariñosas y susurrantes...; el olor del cuerpo penetra por medio del nervio olfatorio, situado en la nariz...; con el sentido del gusto saboreamos la dulzura de un beso y, finalmente, gracias a ese extenso órgano del tacto que es la piel, se da rienda suelta a la imaginación en un gozoso intercambio de amor, emoción y placer.

Una educación demasiado rígida puede propiciar la inhibición de la sensualidad pero no su desaparición, puesto que se trata de una cualidad inherente a todas las personas.

LA PRIMERA VEZ DESDE UN ENFOQUE REALISTA

Genera tanta expectación que basta decir «la primera vez» para saber de qué se está hablando. Y es que, la influencia del cine y la literatura han hecho creer a muchos jóvenes vírgenes que la primera vez que se hace el amor con alguien es siempre un momento maravilloso, irrepetible y casi mágico. Por otro lado, también existe la idea preconcebida de que los inicios coitales son dolorosos para la mujer y van acompañados de sangre. La realidad demuestra que la primera vez suele ser la más difícil y complicada de todas. Es normal que aparezcan sentimientos de pudor, ansiedad, temor, desencanto...

¿Cómo puede uno pretender alcanzar la perfección si no se tiene experiencia? Por regla general, los chicos y las chicas tienen grandes deseos de satisfacerse mutuamente, pero el desconocimiento de los gustos del otro y la falta de práctica pueden dar al traste con los mejores sentimientos y la mayor de las pasiones.

Ellos tienen temor a «no dar la talla», una expresión que engloba algunos contratiempos como la eyaculación precoz, la falta de erección, el «gatillazo» o la inhabilidad para dejar satisfecha a la pareja. Pero, es precisamente ese miedo, junto con los nervios, la sobreexcitación, la ansiedad y la inexperiencia, los causantes de tales percances.

En el caso de las chicas, existen múltiples temores: a quedarse embarazadas, a que les duela, a la hemorragia, a no gustar desnuda, a defraudar al compañero por la manera en la que se hace el amor... Con este cóctel de emociones no es extraño que no disfruten, y mucho menos que lleguen al orgasmo. A este respecto, no deberían angustiarse ni pensar que son frígidas, puesto que, para llegar al clímax, es preciso estar muy relajada.

Lo más adecuado sería conseguir una situación relajada, sin plantearse *a priori* la penetración como algo obligatorio, utilizando la ternura y la comunicación para conocer los deseos del otro. Pero, si aun así, la primera vez no ha salido «de película», no hay que decepcionarse. Con el tiempo, y a medida que se gane confianza en la pareja y en uno mismo, las relaciones serán más gratificantes.

—Soy un chico de dieciocho años y me gustaría saber, cuando se trata de la primera vez para los dos, qué se debe hacer para que la penetración sea más fácil.

—Para facilitar el coito, es esencial que la chica tenga una buena lubricación vaginal, lo que se consigue mediante las caricias previas y, sobre todo, con la estimulación del clítoris. Si aun así ella experimenta algo de dolor, quizá se deba a que tenga el himen muy cerrado o, simplemente, a una contracción de los músculos vaginales causada por los nervios. El chico debe hacer gala de una gran ternura y paciencia. Puede recurrir a poner un poco de lubricante y probar introduciendo un dedo para aumentar la elasticidad de la membrana. La regla de oro para salir airosos en estos casos consiste en no forzar la situación. No hay ninguna obligación de que la penetración se produzca en el primer encuentro. Todo llegará a su debido tiempo.

¿CHICOS Y CHICAS SIENTEN Y PIENSAN IGUAL ANTE EL SEXO?

Es evidente que hombres y mujeres tenemos una sexualidad diferente por motivos biológicos pero, en el fondo, los sentimientos y pensamientos suelen ser muy parecidos. Lo que ocurre es que, los condicionamientos sociales y culturales influyen poderosamente en ambos sexos, inhibiendo o potenciando una serie de conductas, según se trate de una chica o de un chico.

Ellos

En general, se entiende que ellos, como se dice coloquialmente, «van más al grano» y aceptan de buen grado el sexo, sin implicaciones afectivas. La idea que se desprende del mundo masculino es la de que el amor no es lo más importante en la vida. Quizá, debido a la educación recibida, esto sea cierto en muchos casos, pero hay que tener en cuenta que nos movemos en un terreno complejísimo. Por un lado, en el grupo de los hombres existen grandes diferencias, y por otro, no hay que olvidar la evolución y adaptación experimentada por muchos de ellos, como consecuencia de la incorporación de la mujer al trabajo y sus demandas de igualdad.

Muchos hombres de hoy están «a años luz» de distancia de sus antepasados. No asocian necesariamente «virilidad» con términos como poder, protección, control, fuerza... Su masculinidad no sufre estragos cuando comprueban que la mujer que tienen al lado es sexualmente activa. También necesitan un cierto ritual antes de acostarse con una chica. Y, cada vez son más los que confiesan abiertamente que «lo que necesitan es amor».

Ellas

A pesar de que la educación sexual es cada vez mayor y más igualitaria, las chicas suelen tener más pudor y se manifiestan de forma más reprimida que los chicos en el ámbito sexual. Hay diferencias cuyo origen está en la propia naturaleza humana, como el hecho de que la respuesta femenina sea algo más lenta que la masculina, pero otras se alimentan de presiones externas provenientes del ámbito familiar, la religión, los medios de comunicación, el cine... Parece como si existiera un cierto temor a la libertad sexual de las mujeres. ¿Por qué aún se sigue asociando una mujer que disfruta sexualmente con un ser pervertido?

Ante las primeras relaciones sexuales de sus retoños, los padres suelen actuar de forma distinta, según se trate de un hijo o una hija. Por lo general, ven con muy buenos ojos el debut del chico. En cambio, es más difícil encontrar a un padre feliz por el estreno de su hija que ver a un camello entrar por el ojo de una aguja.

LA IMPORTANCIA DE LOS JUEGOS SEXUALES PREVIOS AL COITO

De la misma forma que la obertura, en una ópera, se ejecuta con el objetivo de poner al público en situación acerca de la acción dramática que se desarrollará posteriormente, los juegos sexuales se convierten en el preludio necesario de los amantes para realizar el coito con total satisfacción.

Esta recreación es esencial por dos razones. En primer lugar, sabemos que la respuesta femenina es algo más lenta que la masculina, por tanto, los prolegómenos acortan la distancia entre ambos y hacen posible que la mujer quede satisfecha e, incluso, que la pareja pueda alcanzar el clímax al mismo tiempo. Por otra parte, hay que tener en cuenta que, sin una debida preparación, el coito sería imposible o produciría verdaderos estragos. Durante el juego sexual, se lubrifican el orificio vaginal y el pene para combatir la sequedad y evitar así las erosiones en las mucosas genitales.

En una relación sexual es muy importante que ambos participantes sean lo suficientemente sinceros como para poder expresar al otro lo que les gusta o les desagrada, sin que ello sea motivo de ofensa. Debe existir la complicidad necesaria para pedir un cambio de conducta si es preciso. De esta forma, la pareja estará en condiciones de colmarse de gozo recíprocamente, sin caer en la rutina.

—Estoy un poco dolida con mi novio porque cuando hacemos el amor, va demasiado al grano. A mí me gustaría que se entretuviera más en las caricias y que no tuviera tanta urgencia, pero no sé cómo decírselo.

—Normalmente, los chicos que actúan así no lo hacen por falta de delicadeza sino por falta de información o de experiencia. Si no sabe, lo mejor es enseñarle con franqueza y ternura. Conviene decirle que la mujer necesita ser estimulada en ciertas partes de su cuerpo, esencialmente en el clítoris. Y como la teoría sola no basta, es bueno conducir su mano para enseñarle dónde y cómo debe tocar, masajear... Poco a poco, descubrirá en los juegos eróticos una fuente inagotable de placeres y sensaciones.

EL BESO

El beso es uno de los contactos físicos que más anhelan los enamorados y, para comprobarlo, basta hacer un recorrido mental a través del cine. El séptimo arte ha sabido captar como ningún medio ese deseo contenido que, en un momento determinado, estalla y se hace realidad para regocijo de los espectadores.

Se han escrito ríos de tinta sobre el tema. Si el seductor Casanova lo concebía como «el ardiente deseo de aspirar una parte del ser que se ama», el premio Nobel de Medicina Ramón y Cajal anotaba, con grandes dosis de humor, que el beso era para el bacteriólogo un cambio recíproco de microbios. Aunque, por otro lado, decía que «la mujer posee un argumento más que el hombre: el beso».

Besar significa tocar u oprimir los labios o la boca –en los de otra persona o en alguna otra parte de su cuerpo– en señal de amor o deseo sexual. Existen diferentes clases de besos: al principio, suelen ser tímidos, juntando los labios unos contra otros; luego, a medida que se gana confianza, uno se deja llevar por el deseo y aprende a abrir la boca para jugar con la lengua del otro. Este último tiene numerosas acepciones: beso con lengua, beso de tornillo, beso profundo, beso francés, beso de amor... Como se le quiera llamar, para casi todas las parejas es un vínculo agradable y lleno de sensaciones. No en vano, participan en él los sentidos del tacto, el gusto y el olfato.

En nuestra civilización, una relación de pareja no se concibe sin el beso, que se ha convertido en un medio esencial para expresar los sentimientos. Pero, esto no es así en todos los lugares. Curiosamente, existen algunas tribus esquimales que, en lugar de aproximar los labios, muestran su amor rozándose la nariz mutuamente.

¿QUÉ ES SER «BUENO/A EN LA CAMA»?

Para ser bueno en la cama, no es necesario haber estudiado un *master*, ser un contorsionista o estar preparado para correr una maratón.

Los buenos amantes se distinguen por otras facultades que están al alcance de todos, como la sensibilidad para captar los sentimientos, necesidades y gustos de la pareja y el deseo de complacerla. No se trata de demostrar nada a nadie, sino de establecer una verdadera comunicación con la otra persona.

Sobre este tema, se cree a menudo que es imprescindible la experiencia. A este respecto, habría que señalar que, si bien a medida que se profundiza en el conocimiento de la otra persona, las relaciones se van perfeccionando, también es cierto que dos jóvenes pueden ser «buenos» ya en sus primeros encuentros si se gustan, se desean y están dispuestos a satisfacerse mutuamente. Es preciso tener claro que no se trata de pasar un examen, simplemente una buena relación sexual es aquella que satisface a quienes participan en ella, no existen reglas fijas, puesto que cada persona siente de un manera diferente, por tanto lo bueno para unos puede no serlo para otros.

Por último, conviene tener presente que el éxito en una relación sexual no sólo dependerá del comportamiento que ambos miembros de la pareja tengan en ese momento concreto, sino también de la relación que tenga con esa persona y consigo mismo. Puesto que quien tiene una mala relación con su cuerpo, hasta que no la supere, seguramente no podrá disfrutar plenamente de una relación sexual.

> Quien tiene una mala relación con su cuerpo, no podrá disfrutar plenamente de una relación sexual hasta superarlo.

¿HAY POSTURAS MEJORES QUE OTRAS PARA EL COITO?

Se sabe que, con el afán de vencer la rutina, hombres y mujeres han inventado infinidad de posturas desde los tiempos más remotos, pero no existe ningún *ranking* que establezca cuáles son las mejores o peores. Y no existe, sencillamente porque todo depende de la percepción de cada uno. Sería absurdo elaborar una lista de posturas más adecuadas, como si se tratara de una receta universal. Como todas aportan distintas sensaciones, las mejores serán aquellas que, elegidas libre y espontáneamente, proporcionen mayor placer a cada pareja en un determinado momento de su vida.

Lo que sí es evidente es que las posturas más frecuentes varían según se trate de una cultura u otra. A continuación, hablaremos de las más habituales en nuestro entorno.

Hombre encima

Quizá la conocida como «postura del misionero», en la que el hombre se sitúa arriba y la mujer debajo, es la más popular, pero esto no significa que sea la mejor en todo momento. Las ventajas estriban en que la introducción del pene se realiza con facilidad, el hombre puede efectuar los empujes pélvicos cómodamente y permite a la pareja mirarse a los ojos y hablarse. Entre los inconvenientes, podemos decir que, por lo general, de esta forma a la mujer le cuesta conseguir el orgasmo, ya que así es difícil realizar la estimulación del clítoris. En cambio, cuando el órgano eréctil femenino se ha estimulado previamente, el deseo de esta postura se acrecienta.

Mujer encima

La contrapartida de la anterior es el hombre echado sobre su espalda y la mujer tendida o sentada sobre él, cara a cara. En esta postura, la mujer controla mejor sus movimientos, llevando el ritmo del acto sexual. Por su parte, el hombre, puede acariciar libremente los pechos de la mujer. Lo más atractivo de esta posición es su cualidad de prolongar el placer de ambos amantes, ya que el hombre es capaz de controlar mejor el momento de la eyaculación. Posiblemente este es el motivo de su popularidad entre los países con tradición en el arte de amar.

Ambos de lado, cara a cara

Es muy relajante para ambos miembros de la pareja, ya que ninguno tiene que aguantar el peso del otro y, además, deja mucha libertad para los juegos previos. La penetración en esta postura es más compleja y, normalmente, los movimientos pélvicos no suelen durar mucho tiempo pues el pene se sale de la vagina con facilidad.

Penetración por detrás

Existen diversas variantes, pero la más habitual es la que sitúa al hombre recostado de lado detrás de la mujer, también echada de lado. En éste caso la mujer puede estimularse acariciándose el clítoris, ya que tiene mucha libertad de movimiento, o es el hombre quien lo hace mediante caricias en el clítoris y los pechos. Es una postura muy satisfactoria para ambos miembros de la pareja.

La variedad de posturas es grande, existen tantas como la imaginación lo permita, incluso suele suceder que en una misma relación sexual se hagan varias; de todas maneras, conviene recordar que no existen reglas fijas para el placer sexual, cada persona tiene su particular forma de gozar y es ella misma quien debe descubrirla. Obviamente las posiciones que permitan el roce del clítoris y al mismo tiempo una penetración profunda del pene serán más satisfactorias para ambos.

Las mejores posturas serán aquellas que, elegidas libre y espontáneamente, proporcionen mayor placer a cada pareja en un determinado momento.

FANTASÍAS SEXUALES

Tener fantasías sexuales es algo que da un cierto pudor confesar, pero que todo el mundo las experimenta a lo largo de su vida. Fantasear, en este sentido, significa crear mentalmente historias vinculadas con el sexo, cuyo contenido es generalmente insólito y excitante. Numerosas personas las utilizan para motivarse durante la masturbación o en las relaciones con su pareja. Están consideradas como un aspecto más de la sexualidad.

Como las posibilidades de la imaginación son ilimitadas, es imposible hacer una lista que englobe todas las fantasías sexuales. Lo que sí parece factible es apuntar las más habituales: pensar en otra persona cuando se está haciendo el amor con la pareja; realizar comportamientos sexuales de forma obligada; experimentar sensaciones de dominio; imaginar orgías heterosexuales o bisexuales; representar que uno/a se dedica a la prostitución; simular ambos miembros de la pareja que no se conocen; hacer el amor con un personaje famoso...

¿Qué utilidad tienen las fantasías?, se preguntarán muchos jóvenes. Este tipo de ensoñaciones, además de estimular nuestra imaginación, nos permite ser libres y satisfacer sin riesgos nuestros deseos más íntimos. Las fantasías ayudan, en muchos casos, a hacer más plena una relación sexual y son las compañeras inseparables de la masturbación en soledad. Fantasear no significa que se desee llevar a la práctica la situación imaginada, porque su mayor atractivo reside justamente en no ser reales. Cuando, en algunos casos, trascienden la frontera de la fantasía y se convierten en reales suelen ser frustrantes.

—¿Hay que compartir las fantasías sexuales con la pareja?

—Es bueno que en una pareja haya confianza y comunicación. Pero también es necesario conservar un espacio mínimo de libertad e intimidad. Las fantasías sexuales pueden compartirse o no, esto depende de los deseos de cada uno. Si una persona decide que es mejor guardarse para sí misma la fantasía, por temor a herir los sentimientos del otro, está en su derecho y no hay ningún motivo para sentirse infiel o infeliz por ello.

EL PUNTO G

A mediados de los años cuarenta, el ginecólogo alemán Ernest Gräfenberg descubrió que la mujeres tenían en la vagina una zona erógena distinta al clítoris. Otras investigaciones posteriores confirmaron el hallazgo del médico y lo bautizaron con el nombre que hoy conocemos: punto G.

Hay que constatar que no todos los especialistas están de acuerdo con la existencia del punto G. Unos creen en su existencia, basándose en datos concretos, pero otros aún no han encontrado las pruebas empíricas necesarias. Dicen los primeros que se trata de una superficie de unos treinta milímetros de ancho, rica en terminaciones nerviosas, situada en la pared anterior de la vagina, a una profundidad aproximada de cinco centímetros desde el orificio vaginal. Para localizarlo con más facilidad, conviene estar sentada o en cuclillas e introducir los dedos presionando sobre la pared anterior de la vagina.

Cuentan quienes lo han encontrado que, tras su estimulación, aumenta en tamaño y firmeza. En ocasiones, al alcanzar el orgasmo, también puede provocar la salida copiosa de un líquido incoloro e inodoro que algunos llaman «eyaculación femenina». En el hombre también existiría un punto G, que correspondería a la glándula prostática.

—Para estar al día sexualmente, ¿es necesario encontrar el punto G?

—Lo que importa en el sexo, como en casi todo, es actuar con sentido común y saber gozar de cada momento. Quien quiera buscar el punto G que lo haga pero, como ocurre con muchas otras búsquedas de técnicas raras o complicadas, realmente no proporcionan mucha satisfacción, puesto que hay que hacer verdaderos malabarismos para poder encontrarlo. El cuerpo humano tiene las suficientes posibilidades de disfrute al alcance de la mano. Por eso es bueno tener en cuenta, antes de adentrarse en esta búsqueda, que para la mayoría de las mujeres la estimulación del clítoris es mucho más placentera y a su vez más accesible.

SEXO ORAL

Es una de las infinitas variantes de los juegos sexuales en parejas con un cierto grado de confianza y complicidad. Consiste en la estimulación de los genitales por medio de la boca, de ahí que también se le conozca como sexo bucogenital. Estas caricias incluyen distintas acciones, como: besar, lamer, chupar, succionar, oprimir con los labios y lengua o mordisquear. Puede realizarlas un miembro de la pareja al otro o también de manera simultánea, adoptando la posición conocida como «69», es decir ambos de lado, uno frente al otro pero invertidos. A la estimulación de los genitales masculinos, se la denomina *fellatio* o felación y a la de los femeninos, *cunnilingus*.

Felación

Para realizar la felación, la mujer introduce el pene del hombre en su boca y con suavidad lo mordisquea, succiona, lame, besa... Pero antes suele haber un preludio en el que todo está permitido si produce excitación y placer, como besar y lamer también los testículos en un movimiento ascendente hacia la base del pene, restregar la lengua sobre el perineo... De esta forma, cuando se llega al ultra sensible glande, el hombre desea ardientemente sentir los labios húmedos en él. En este estadio es cuando se abraza el glande con la boca, sosteniendo el pene con la mano, para ir introduciéndolo lentamente en el interior de la cavidad, como si se tratara de una penetración. Conviene saber que el placer obtenido no está en proporción a la cantidad de pene que se introduce en la boca, por lo que esto no debe ser una obsesión. Mientras la mujer succiona y lame el pene, puede acompañarlo de movimientos rítmicos de la boca, coordinados con la mano que sostiene el pene.

Los hombres suelen disfrutar mucho con este tipo de estimulación sexual y la mayoría de las mujeres se siente excitada al hacerlo. En algunos casos, la amante escoge llevar la felación hasta el final, incluyendo la eyaculación dentro de la boca. Otras prefieren que en el momento de la eyaculación el hombre tenga el pene fuera de la cavidad bucal. El juego de la lengua recorriendo el pene resulta muy placentero para ambos miembros de la pareja.

La felación suele practicarse con distinta intensidad en función de los objetivos: cuando se desea que el compañero alcance la erección necesaria para el coito, lo mejor es realizarla de forma lenta y constante, pero si lo que apetece es que se produzca la eyaculación inmediata, conviene acelerar la estimulación al compás de la excitación.

Cunnilingus

En el *cunnilingus*, la parte activa la lleva el hombre, que lame con su lengua la vulva de su compañera. Aquí, la estimulación puede llevarse a cabo de diferentes formas, que van desde las suaves succiones con los labios hasta movimientos ascendentes y descendentes de la lengua sobre el clítoris que llevan al clímax provocando el orgasmo.

La vulva es una zona a la que no hay que dirigirse en primer lugar, puesto que su excitación es algo lenta y crece tras la estimulación de otras partes erógenas.

Para que la mujer anhele el *cunnilingus*, es indispensable dar unos cuantos rodeos previos, acariciando con la lengua otras partes del cuerpo hasta activar su deseo, como las nalgas y el interior de los muslos.

Por tanto, el chico que quiera realizar con éxito el *cunnilingus*, debe tener en cuenta la importancia de los preliminares, en los que se irá aproximando poco a poco hacia la vulva expectante de su compañera para comenzar a lamer los labios vaginales y estimular el clítoris, hasta que éste se endurezca y se dilate, que es cuando la mujer ha logrado el mayor grado de excitación. Es importante que las caricias sean suaves y que vayan aumentando el ritmo cuando la mujer esté próxima al orgasmo

> —*Cuando se practica el sexo oral, ¿es más fácil alcanzar el orgasmo?*
>
> —Ni más fácil ni más difícil, todo dependerá de las circunstancias y de la habilidad de ambos en ese momento concreto, aunque si los dos miembros de la pareja desean ardientemente la felación o el *cunnilingus,* lo más probable es que hayan alcanzado un alto grado de excitación que les llevará inevitablemente al orgasmo.

SEXO ANAL

El sexo anal consiste en la estimulación o penetración del ano.

Aunque se trata de una parte anatómica muy rica en terminaciones nerviosas y, por tanto, extremadamente sensible a las caricias, esta práctica está poco extendida, debido a los múltiples tabúes que la rodean. Por pudor, vergüenza o prejuicios, se considera que el ano es un rincón oscuro y reservado que muy pocos se atreven a sondear.

En cuanto al coito anal, se trata de introducir el pene dentro del ano. Para llevar a cabo esta técnica, hay que actuar con mucha suavidad, sin precipitarse, pues es una zona estrecha y delicada y podrían producirse desgarros. Es esencial que haya una buena lubricación de la zona, por lo que se puede emplear un lubricante o simplemente recurrir a los fluidos vaginales. A muchos hombres les produce una gran placer, incluso más que el coito vaginal. Las mujeres también suelen disfrutar, pero algunas son reacias a experimentarlo ante el temor al dolor o a las posibles lesiones.

Una de las ventajas del coito anal es que no hay riesgo de embarazo, siempre y cuando se tenga cuidado de que el esperma expulsado no alcance la entrada vaginal. La contrapartida es que algunas enfermedades de transmisión sexual pueden adquirirse con mayor facilidad de esta forma.

Por otra parte, ciertas personas la ven como una práctica antinatural o la circunscriben a las relaciones homosexuales. Lo primero es una apreciación subjetiva y lo segundo no tiene mucho fundamento, ya que cada vez es más frecuente en las relaciones heterosexuales, puesto que resulta placentera para ambos miembros de la pareja.

—He oído hablar del «beso negro», y no tengo muy claro de qué se trata. ¿En qué consiste exactamente?

—Se trata de poner en contacto la boca con el ano por medio de dos técnicas: el *anilinctus* y el *anilingus*. La primera se aplica para besar o lamer el ano del compañero/a y la segunda para penetrarlo con la lengua.

¿QUÉ ES LA ORIENTACIÓN SEXUAL?

La orientación sexual es la forma en que puede satisfacerse el impulso sexual. Básicamente, se establecen tres manifestaciones: heterosexualidad, homosexualidad y bisexualidad, aunque el límite entre ellas a veces puede fluctuar.

La mayor parte de los hombres y las mujeres sienten atracción por personas del sexo contrario, es decir, son heterosexuales, y ésta es la opción que tradicionalmente se ha considerado más acorde a las pautas biológicas y sociales, por el hecho de asociar sexualidad con reproducción. Desde el punto de vista cualitativo no existe ninguna diferencia entre una orientación u otra, ya que la sexualidad es la capacidad de intercambiar afecto y placer, independientemente del sexo de las personas implicadas.

Antiguamente, en muchas culturas, se ejercía sobre ellos una actitud represiva o defensiva, lo que llevaba a este colectivo a ocultar su orientación sexual. En la actualidad, a pesar de que ha dejado de ser un tema tabú, todavía existe un cierto prejuicio de la sociedad, lo que les ha llevado a unirse en asociaciones de *gays* y lesbianas para reclamar sus derechos como personas absolutamente normales. Por otra parte, la homosexualidad es tan antigua como el hombre, puesto que es una de las formas en que se manifiesta la sexualidad humana. Ser homosexual es simplemente elegir una de las formas de expresión de la sexualidad.

La sexualidad es la capacidad de intercambiar afecto y placer, independientemente del sexo de las personas implicadas. Ser heterosexual, homosexual o bisexual depende de diversos factores, como la educación recibida y las circunstancias personales, que influirán decisivamente a la hora de definirse sexualmente.

HOMOSEXUALIDAD: *GAYS* Y LESBIANAS

Se entiende por homosexualidad la inclinación manifiesta u oculta hacia la relación erótica con otra persona del mismo sexo. Oculta significa que muchos homosexuales, ya sean hombres o mujeres, desean estar al lado de los de su mismo sexo y mantener relaciones íntimas con ellos pero, a veces, el temor al rechazo social les lleva a enmascarar sus sentimientos. Se suele usar el vocablo de lesbianas cuando se trata de una relación entre mujeres. Muchos homosexuales hombres prefieren que se les denomine *gay*, palabra inglesa que significa «alegre» y que denota una aceptación plena de su orientación sexual. Aunque también se les puede llamar homosexuales, en general, se entiende que las mujeres que mantienen relaciones sexuales con otras mujeres son lesbianas.

Abundan los prejuicios en torno a la conducta homosexual. Algunas personas están convencidas de que se trata de un colectivo cuyos componentes son muy parecidos entre sí. Pero la realidad es que su forma de actuar admite tantas variantes como la de los heterosexuales. En sus relaciones sexuales, quizá la diferencia más significativa estriba en la imposibilidad obvia de realizar el coito vaginal, cuando se trata de dos hombres. Pero aparte de esto, la respuesta sexual ante los estímulos es la misma que la de los heterosexuales.

Algunos estudios realizados concluyen que el número de personas que mantienen relaciones homosexuales, o las han mantenido en algún momento de su vida, es muy elevado, aunque esto no quiere decir que sea la homosexualidad su orientación sexual preferente. La homosexualidad, como la heterosexualidad o la bisexualidad, no es una realidad con compartimentos estancos e inamovibles. Observándola, podemos distinguir tres fases distintas que no tienen por qué coincidir en el tiempo, ni derivarse una de otra:

1. Deseo erótico hacia personas del mismo sexo;
2. Relaciones sexuales con personas del mismo sexo;
3. Aceptación de la propia homosexualidad.

Hay que saber distinguir muy bien estas fases y tener claro que pueden estar conectadas o no entre sí. El hecho de sentir atracción por seres del mismo sexo no es sinónimo obligado de homosexualidad.

Es sabido que, sobre todo en la infancia y en la adolescencia, se dan conductas homosexuales como una de las múltiples formas de descubrir la propia sexualidad.

Existen asimismo algunos mitos. El más conocido es aquel que apunta a que uno de los miembros de la pareja adopta el papel de pasivo y el otro de activo. Esta es una verdad a medias, ya que como sucede con los otros tipos de relación sexual, el hecho de dar o recibir se va alternando según la situación y los deseos en cada momento concreto. También se les acusa de dar una importancia excesiva al sexo, aunque la que se le concede es en general similar a la que dan los heterosexuales. Lo que sí está claro es que tanto los *gays* como las lesbianas, al tener una fisiología similar a su pareja, pueden intuir con más precisión cuáles son las caricias más estimulantes.

–*¿Quien haya tenido alguna vez relaciones con una persona del mismo sexo es homosexual?*

–Si hubiera que considerar homosexuales a las personas que en algún momento de su vida han tenido algún tipo de atracción o relación erótica con individuos de su mismo sexo, las cifras de los sondeos se dispararían. Son muchas las personas que han vivido este tipo de experiencias en algún momento de su vida y esto no implica que sean homosexuales.

¿QUÉ SIGNIFICA SER BISEXUAL?

Bisexual es la persona que se siente atraída y obtiene placer sexual, de manera indistinta, en sus relaciones con ambos sexos. Todas las personas nacemos bisexuales. Es la cultura basada en la procreación la que empuja a que las personas se decanten por una u otra opción.

Dado que la sexualidad es un terreno abierto, en el que entran en juego multitud de factores, como las circunstancias familiares y sociales, el tipo de relación que se ha tenido con el padre o la madre, etc., algunas personas pueden cambiar su orientación sexual a lo largo de la vida. Así, se puede tener una orientación homosexual y en un momento determinado sentirse fuertemente atraído por una persona del otro sexo y mantener una relación heterosexual y viceversa, o escoger una determinada orientación sexual en un momento de la vida y luego modificarla.

El hecho de que en nuestra civilización se considere la bisexualidad como una orientación sexual minoritaria y extraña, no significa que siempre haya sido así. Por ejemplo, para los ciudadanos de la Antigua Grecia, ésta era una opción sexual admitida socialmente con normalidad, tanto que muchos hombres alternaban sus relaciones entre su mujer y un joven con el que ejercían de consejeros espirituales.

—Soy una chica de dieciocho años que tengo novio y me gusta estar con él, pero a veces he tenido fantasías en las me veía haciendo el amor con una chica. ¿Significa esto que pueda ser lesbiana o bisexual?

—Incluso si has tenido un escarceo sexual con alguna amiga, con motivo de algún juego infantil, tanto esto como fantasear con alguien del mismo sexo son conductas habituales del ser humano a lo largo de la vida. Casi todo el mundo las experimenta, lo que ocurre es que pocos se atreven a contarlo.

¿QUÉ SON LAS ENFERMEDADES DE TRANSMISIÓN SEXUAL?

Las enfermedades de transmisión sexual, o ETS, como suelen abreviar los expertos, son un grupo de dolencias infecciosas, causadas por diferentes tipos de microbios, cuyo denominador común es que se contagian preferentemente durante las relaciones sexuales. Algunas, como la hepatitis B y el SIDA, se transmiten también a través de la sangre. Una gran parte de estas enfermedades se centran en los genitales de ambos sexos. Pero, en algunos casos, también pueden verse afectados otros órganos o zonas, como el hígado, el intestino, las articulaciones, el sistema inmunológico, etc.

Este grupo de enfermedades no es homogéneo en sus consecuencias. Algunas pueden llegar a ser graves, causando dolor crónico, esterilidad e incluso la muerte. En cambio otras, si se tratan a tiempo, no son perjudiciales. La clave está en diagnosticarlas a tiempo, ya que se propagan rápidamente.

Se cree que la extensión de las ETS está relacionada con la falta de información y por consecuencia de precaución. Asimismo, se apunta que la mayoría de los casos se dan en personas con una edad comprendida entre los quince y los treinta años.

> Las enfermedades de transmisión sexual son un grupo de dolencias infecciosas, cuyo denominador común es que se contagian preferentemente durante las relaciones sexuales. La protección, a través del uso del preservativo, es la mejor arma contra ellas.

¿CUÁLES SON LAS ETS?

Las enfermedades de transmisión sexual más frecuentes o conocidas son las siguientes:

- Gonorrea o gonococia.
- Sífilis.
- Herpes genital.
- Clamidia.
- Tricomonas.
- Cándidas.
- Condilomas.
- Ladillas.
- Hepatitis B.
- Sida.

Gonorrea o gonococia

La gonorrea es una infección que afecta a un gran número de personas en nuestro país. Está producida por el gonococo de Neisser, un microorganismo que se encuentra preferentemente en zonas templadas y húmedas del cuerpo (el conducto urinario y el cuello uterino sobre todo). Es una enfermedad venérea, es decir, sólo se transmite a través del contacto sexual directo y no se contagia mediante toallas, baños públicos, piscinas, etc. Hay que estar alerta si se observan los siguientes síntomas: secreción purulenta amarillenta por el pene, sensación de escozor al orinar, aumento del flujo vaginal, dolores abdominales o cansancio. Tiene un tratamiento sencillo y efectivo a base de antibióticos, pero si no se cura a tiempo, la infección puede extenderse a otros órganos y ocasionar consecuencias graves, como la esterilidad.

Sífilis

Antiguamente, era considerada la enfermedad de transmisión sexual más peligrosa, hasta que el descubrimiento de la penicilina por Alexander Fleming en 1928 se convirtió en un tratamiento eficaz para controlarla. Está causada por una bacteria llamada *treponema pallidum*. La vía principal de transmisión es el contacto sexual, pero también puede contagiarla la madre al feto durante el embarazo, a través de la placenta.

Evoluciona en tres etapas. En la primera, pocas semanas después del contagio, aparecen unas pequeñas úlceras rojizas (chancro sifilítico) en la zona donde se ha producido el contacto (genitales, ano, boca...). Las lesiones desaparecen poco después. Unos meses más tarde, los treponemas se extienden a través de la sangre por todo el organismo, dando lugar a diversas lesiones generalizadas: manchas en la piel, ganglios inflamados, fiebre, dolor de garganta, pérdida de apetito y malestar general. Estos síntomas pueden desaparecer, incluso sin tratamiento, pero la enfermedad sigue latente. Años después del contacto, la enfermedad continúa la fase latente durante un largo período de tiempo. Si no se aplica un tratamiento, pueden producirse: úlceras en la piel y órganos internos; inflamación de las articulaciones; lesiones de corazón, hígado y sistema nervioso central.

Hemos dicho que la sífilis se elimina con antibióticos. No obstante, si no se actúa rápidamente para curarla, existe el riesgo de que las lesiones producidas sean ya irreversibles, cuando se aplique el tratamiento.

Herpes genital

El virus responsable de esta infección es uno de los más difundidos entre los seres humanos. La transmisión se produce generalmente por vía sexual, pero también a través del contacto con las manos. Úlceras, picores, fuertes dolores localizados en los genitales, escozor al orinar, fiebre y malestar similar al de la gripe, son los principales síntomas. Si no se trata debidamente, puede propiciar el riesgo de contraer diversas enfermedades. Como todas las dolencias de origen vírico, su tratamiento suele ser tedioso en algunos casos. Además, existe la probabilidad de reaparición de los síntomas, especialmente en situaciones de estrés. En caso de embarazo, es necesario mantener un control estricto para evitar daños irreversibles en el niño.

Clamidia

Esta infección se debe a la bacteria *Chlamydia trachomatis*, que se transmite por contacto con las mucosas vaginales, uretra, recto, boca y ojos, afectando a la uretra en los hombres (uretritis) y al cuello uterino en las mujeres (cervicitis). Sus síntomas son más evidentes en el hombre que en la mujer, aunque no siempre resultan fáciles de descubrir. Se confunden en ocasiones con los de la gonorrea, y son, principalmente: secreción vaginal y dolor en la parte inferior del vientre en las mujeres; en el hombre, inicialmente aparecen secreciones transparentes que se vuelven luego cremosas, así como muchas ganas de orinar y dolor. Se cura siguiendo un tratamiento específico con antibióticos (tetraciclina). Si no se atiende a tiempo, la infección puede progresar y provocar esterilidad tanto en los hombres como en las mujeres.

Tricomonas

Las tricomonas son unos parásitos protozoos que se ceban especialmente con las mujeres. El hombre puede contagiar la enfermedad, aunque no presente ningún síntoma. Estos microorganismos se transmiten habitualmente mediante contacto sexual. No se descarta el contagio por medio de ropas o toallas húmedas cuando se trata de niñas o ancianas que carecen de los protectores y antisépticos bacilos de Döderlein o los tienen en cantidades mínimas.

Secreción vaginal espumosa de aspecto amarillento y un olor muy fuerte, picor e irritación, son sus principales signos. Actualmente existen tratamientos muy eficaces, que debe ser llevados a cabo por ambos miembros de la pareja.

Cándidas

Tienen en común con las tricomonas un nombre a primera vista inofensivo. Otras semejanzas estriban en que afectan principalmente al sexo femenino y que el hombre suele ser portador asintomático. Pero en esta ocasión, no se trata de un protozoo sino de un hongo, que se asienta en las mucosas húmedas y calientes. La vía de contagio es diversa: relaciones sexuales, ropas, objetos, etc. Algunas circunstancias, como el uso de antibióticos, el estrés, la diabetes o una disminución en las defensas naturales del organismo, favorecen su proliferación. Por lo general, los síntomas femeninos son: aumento de la secreción vaginal, que se torna blanca y espesa, picor intenso, olor fuerte y, en ocasiones, inflamación de las vías urinarias y de la vejiga. El hombre presenta enrojecimiento en el glande y prurito. Tiene un tratamiento rápido y eficaz si lo realizan ambos miembros de la pareja.

Condilomas

Se trata de lesiones verrugosas similares a crestas de gallo, causadas por un virus muy contagioso, y localizadas en la vagina, cuello uterino o genitales externos de la mujer. Otro síntoma es el prurito. En los hombres, la infección puede ser asintomática o bien provocar verrugas. Se transmite por contacto sexual y cutáneo. Su curación debe ser llevada a cabo por el ginecólogo con láser, fármacos, electrocoagulación... Es imprescindible acudir cuanto antes al especialista para evitar que se extienda.

Ladillas

Conocidas asimismo con el nombre científico de *Phthirus pubis*, son unos insectos parasitarios amarillentos, de unos dos milímetros de largo, que viven en las partes vellosas del cuerpo (pubis, axilas...) donde se agarran por medio de las pinzas con que terminan sus patas. Chupan la sangre y ponen sus huevos en las raíces del vello. Producen picaduras que provocan molestos picores. Pueden contraerse mediante el contacto sexual directo con una persona que tenga la infección o por compartir las mismas toallas o sábanas. Se eliminan con facilidad aplicando sobre la zona afectada un insecticida de venta en farmacias. No obstante, si tras aplicar este tratamiento, la infección persiste, debe ser atendida por un especialista.

Hepatitis B

Es una inflamación del hígado. Esta enfermedad se origina por un virus –también por alcohol y medicamentos– que se expulsa a través de la piel y la orina, provocando una infección aguda. Habitualmente, suele curarse, pero también puede hacerse crónica. Los síntomas –fiebre, cansancio, ictericia– aparecen tras un largo periodo de incubación, que puede variar de 50 a 160 días. El contagio se produce por contacto, por medio de heridas, por ingestión, e incluso a través de la placenta de una madre infectada. Ante la sospecha de haber tenido relaciones sexuales con una persona portadora, hay que acudir al médico para averiguar si ha habido contagio y si es conveniente la vacunación.

SIDA

El síndrome de inmunodeficiencia adquirida (SIDA), descrito por primera vez en 1981, es una enfermedad infecciosa que afecta al sistema inmunológico humano, encargado de proteger el organismo de las agresiones externas. Con las defensas debilitadas, queda a merced del ataque de numerosos virus, bacterias, hongos, etc., capaces de provocar graves enfermedades e incluso la muerte. Al agente causante del SIDA se le denomina Virus de la Inmunodeficiencia Humana (VIH).

El SIDA se transmite por contagio de una persona infectada a otra sana a través de la sangre, el semen o las secreciones vaginales.

Son situaciones de riesgo: compartir jeringuillas, agujas, y material de aseo como hojas de afeitar, cepillos de dientes, utensilios de manicura, pedicura, etc. Asimismo en las relaciones sexuales con penetración, sobre todo si es anal, el riesgo aumenta si existen lesiones o heridas por las que pueda penetrar el virus. Las mujeres gestantes contagiadas tienen muchas probabilidades de infectar a su hijo durante el embarazo, el parto o la lactancia. Pueden optar por acogerse a uno de los tres supuestos que contempla la ley del aborto o continuar con el embarazo, sometiéndose a un tratamiento para reducir los riesgos de transmisión. Se considera que no existe riesgo en las transfusiones de sangre, ya que actualmente están controladas por el sistema sanitario.

El SIDA es universal y puede afectar a cualquier miembro de la sociedad: padres, madres, abuelos, hijos, maestros, homosexuales, heterosexuales, drogodependientes, no drogodependientes... no es una cuestión de grupo.

Aunque, gracias a la investigación, ha aumentado la esperanza y calidad de vida de los afectados, todavía no existe ningún remedio para su curación, por lo que la prevención sigue siendo la mejor defensa contra el VIH.

Según la organización Sida Studi, de Barcelona, especializada en informar sobre SIDA y sexualidad en escuelas e institutos de Cataluña, es frecuente que los jóvenes lleven encima un preservativo, pero pocos se atreven a sacarlo. Estos chicos y chicas deberían recordar que dentro del bolsillo no les protege, es algo así como llevar el casco de la moto en el codo.

–*Dice un amigo que la mejor manera de protegerse contra las enfermedades de transmisión sexual es la abstención. ¿Tiene razón?*

–Es cierto que las ETS son un riesgo que existe, pues están ahí y cualquiera puede contagiarse, pero también es cierto que se puede luchar contra ellas fácilmente: basta con estar informados y aplicar las medidas de prevención adecuadas, entre las que destaca el uso del preservativo. Si se sacrificara toda la gratificación que se obtiene de la sexualidad por miedo, sería peor el remedio que la enfermedad.

Medidas preventivas

- Usar siempre preservativo en el caso del coito vaginal y anal. También cuando se practica el sexo oral con un hombre.
- Utilizar guantes y dediles de látex en los contactos genitales o anales con la mano o los dedos.
- Recurrir a las toallitas de látex para practicar el sexo oral con una mujer
- Desechar siempre las agujas y jeringuillas usadas

S	Síndrome	V	Virus
I	Inmuno	I	Inmunodeficiencia
D	Deficiencia	H	Humana
A	Adquirida		

SÍ DA:

- Compartir jeringas, agujas, hojas de afeitar, tijeras...
- Relaciones sexuales con penetración sin preservativo con una persona infectada.
- Embarazo de una mujer contagiada (a su hijo).

NO DA:

- Picaduras de insectos.
- Animales domésticos.
- Compartir ropa, cubiertos, vajilla...
- Caricias, besos...
- Convivir con personas afectadas.

El SIDA debe ser una preocupación pero no una pesadilla. Siguiendo las medidas preventivas se puede disfrutar de unas relaciones sexuales sanas y gratificantes.

Un seropositivo es un portador del VIH. Un enfermo de SIDA es un seropositivo que ha empezado a desarrollar las infecciones características de la enfermedad. Ambos pueden contagiarla.

—¿Pueden obligar a alguien a que se haga el análisis del SIDA?

–No. Las pruebas para diagnosticar el VIH se hacen siempre con el consentimiento previo de las personas y el resultado ha de ser confidencial.

¿Cómo protegerse de las ETS?

Para protegerse contra las enfermedades de transmisión sexual, lo mejor es tener una información completa acerca de sus causas, formas de contagio, tratamiento... Como esto ya lo hemos explicado antes, para completar no estaría de más recordar las siguientes recomendaciones:

- Usar siempre correctamente el preservativo cuando haya penetración y mejor aún durante toda la relación.
- Si no se dispone de preservativo, o simplemente no se desea llegar a la penetración, conviene practicar el sexo más seguro (*safe sex*) por medio de besos, caricias, masturbaciones...
- Realizar una correcta higiene de los genitales. El lavado se hará de delante hacia la zona anal y nunca al revés, en el caso de las chicas.
- No abusar de las duchas vaginales.
- Cambiar de tampones por lo menos tres veces al día.
- Acudir al médico sin ningún miedo cuando aparezca algún síntoma anormal en la piel o mucosas genitales.
- Realizar revisiones ginecológicas de forma periódica.
- No automedicarse ni abusar de los antibióticos.

¿Qué hacer ante la sospecha de tener una ETS?

Si aparece algún síntoma que pudiera estar relacionado con una ETS lo primero que se debe hacer es buscar atención médica, ya que la mayor parte de estas dolencias se curan sin complicaciones si se cogen a tiempo. Además, el tratamiento no suele ser doloroso. Puede obtenerse ayuda del médico de cabecera, del ginecólogo, del dermatólogo, del urólogo, etc., acudiendo al centro de asistencia primaria de la zona, al de planificación familiar o a otros especializados en ETS. En el caso de que el diagnóstico confirme la existencia de una de estas enfermedades, es preciso comunicárselo a la pareja o a las personas con las que se hayan mantenido relaciones sexuales para que acudan a los servicios médicos.

Fundación Antisida de España. Tel. 900 11 10 00
Información SIDA. Tel. 93 481 11 64
Información de las ETS. Tel 93 227 29 00

¿POR QUÉ HAY GENTE QUE TIENE RELACIONES SEXUALES CON PROSTITUTAS?

En primer lugar, habría que aclarar que, si bien la mayoría de personas dedicadas a la prostitución son mujeres cuyos clientes son masculinos, también existen hombres —homosexuales y heterosexuales— que la practican. Las personas que se prostituyen lo hacen a cambio de dinero, droga, bienes materiales, favores... ¿Cuáles son los motivos de los clientes? Existen muchas razones. Hay quienes se sienten solos y buscan compañía; algunos lo ven como una compensación a la infelicidad que sienten en su matrimonio o en sus relaciones de pareja; otros buscan simplemente obtener placer sexual sin compromiso emocional; para muchos es una forma de realizar actos que no se atreven a pedir a su pareja o que ésta les niega y en algunos casos es el camino escogido por personas con una autoestima muy baja, entre otras motivaciones.

Generalmente, este tipo de relaciones no pasa de ser un mero intercambio comercial pero, en ocasiones, se establecen vínculos distintos que implican afecto, simpatía, e incluso amor.

Se dice que la prostitución es el oficio más viejo del mundo, afirmación cierta y comprobable a través de la historia. Pero, a pesar de su antigüedad, la sociedad suele tener dificultades para aceptarla y regularla, quizá por esa doble moral que, por un lado la ve como una válvula de escape necesaria y por otro lado la desprecia.

Hay quienes se sienten solos y buscan compañía; algunos lo ven como una compensación a la infelicidad que sienten en su matrimonio o en sus relaciones de pareja; otros buscan simplemente una relación sexual sin compromiso emocional; para muchos, recurrir a los servicios de una prostituta o de un prostituto es una forma de realizar actos que no se atreven a pedir a su pareja o que ésta les niega.

¿EN QUÉ CONSISTE LA VIOLACIÓN?

Por lo general, la violación se asocia a una agresión sexual por parte de un hombre hacia una mujer, con penetración vaginal, anal o bucal. Pero la realidad es mucho más amplia y compleja, tal como recoge en sus páginas el Diccionario de la Real Academia Española, que la define como «tener acceso carnal con una mujer por la fuerza, o hallándose privada de sentido, o cuando es menor de doce años» y, por extensión, «cometer abusos deshonestos o tener acceso carnal con una persona en contra de su voluntad. Podríamos añadir que, además de un asalto a la integridad sexual, es un grave ataque a los principios más elementales de los derechos humanos.

Otra cuestión a plantear es la identidad de la persona agresora. En este sentido, hay que decir que el estereotipo que lo relaciona con alguien desconocido no es el más frecuente. Abundan más los casos de violadores que conocen a su víctima: amigos, parientes, vecinos, compañeros de trabajo, etc. Tanto si son conocidos como no, forman un grupo heterogéneo de difícil clasificación: mayores, jóvenes, con distinto nivel cultural, de diferentes profesiones...

Estos delitos parecen estar impulsados por un aprendizaje basado en la agresividad, el poder y la violencia, aunque, paradójicamente, en el fondo, los agresores suelen ser personas inseguras e incapaces de llevar a cabo unas relaciones positivas con el otro sexo. Más que un deseo sexual incontrolable, lo que les mueve casi siempre a la violación son sus propios conflictos psicológicos.

¿Cómo actuar en el momento de la violación?

Es muy difícil contestar a esta pregunta, ya que todo depende de las circunstancias en que se produzca la agresión. Además, en una situación tan tensa la reacción humana es imprevisible. No obstante, se pueden dar unas orientaciones básicas. Se intentará mantener toda la calma posible recurriendo a las estrategias más oportunas: tratar de hablar con él e intentar calmarlo; decir que se padece una enfermedad de transmisión sexual; gritar si hay gente alrededor que pueda ayudar; utilizar algunas técnicas de defensa personal, si se conocen... En todo caso, ante el temor a ser lesionada, lo más aconsejable es no oponer resistencia.

Por último, memorizar el aspecto del agresor es útil de cara a su detención.

¿Qué hacer tras una violación?

- Contárselo a una persona de confianza.
- Acudir cuanto antes a un centro sanitario (ambulatorio, hospital...) sin lavarse ni cambiarse de ropa, para recibir atención médica y que quede clara constancia de que ha existido violación.
- Solicitar un certificado como prueba de la violación en el centro sanitario.
- Si hay riesgo de embarazo, pedir la píldora del día siguiente.
- Pedir la medicación necesaria para prevenir una posible ETS.
- Consultar si conviene realizar la prueba del SIDA y la hepatitis B.

- Denunciar los hechos ante el Juzgado de Guardia, Comisaría de Policía o Cuartel de la Guardia Civil.
- Aceptar el respaldo de los seres queridos.
- Demandar apoyo psicológico. Si se tiene pareja, mejor ir a la consulta con ella.
- Tener muy claro que no hay que tener vergüenza ni sentirse culpable: el agredido es siempre la víctima.

–En algunos casos sobre violación, a veces se dice que la víctima pudo provocar al agresor porque iba vestida de forma muy extremada. ¿Tiene validez este argumento?

–Es cierto que en ocasiones se pretende achacar a la víctima el papel de instigador en la violación, y es frecuente oír frases como «con esa minifalda, se lo estaba buscando». Pero de ningún modo puede justificarse una agresión sexual. Una persona que despierta el interés sexual por la manera de vestir, no está cometiendo ningún delito.

¿QUÉ DIFERENCIA HAY ENTRE PORNOGRAFÍA Y EROTISMO?

Etimológicamente hablando, pornografía significa «escritos acerca de la prostitución» (*porne*= prostituta; *grafo*= escribir) pero, actualmente, este sentido derivado de los vocablos griegos no tiene nada que ver con la realidad. Hoy se entiende por pornografía cualquier representación de actos sexuales explícitos, fuera de su contexto normal, a través de diversos medios: vídeos, revistas, cine, libros, espectáculos, Internet, etc., con el único objetivo de obtener beneficios económicos a costa de la excitación sexual del público al que va dirigida. Existen varios tipos de material pornográfico. Por un lado está el que se limita a mostrar relaciones sexuales entre personas adultas que han dado su consentimiento. Por otra parte, está la pornografía denigrante y violenta capaz de inducir a ciertas agresiones sexuales.

Muy distinto es el erotismo, proveniente del vocablo *eros*, dios del amor entre los griegos. Aunque, igual que la pornografía, el fin es la excitación sexual, la forma de conseguirlo es muy diferente. El erotismo es sugerente y necesario para estimular la libido de las personas. A diferencia de lo que sucede con la pornografía, hace falta imaginación para crear situaciones eróticas.

El límite entre el erotismo y la pornografía es a veces difuso, ya que puede haber diferencias de calificación entre distintas personas, según sea su educación y sensibilidad. También el concepto puede variar de una época a otra o entre culturas distintas.

—Hace unos meses que mantengo una relación con una chica a través del chat *y hemos llegado incluso a practicar el* cibersexo, *pero ella me propone que nos veamos en persona. Yo siento un poco de vergüenza... ¿Qué debería hacer?*

—Si ambos deseáis el encuentro, no hay por qué avergonzarse. Al fin y al cabo, el *ciberespacio* es un medio más para desarrollar la imaginación y la fantasía, aunque sea virtual. Por otro lado, el deseo de verse en persona es natural, ya que el ordenador nunca podrá sustituir al calor humano.

DROGAS Y SEXO

Conviene desterrar de una vez por todas esa falsa creencia que asocia el consumo de drogas con el aumento del deseo y la potencia sexual. La realidad confirma día a día que, tras los primeros efectos aparentemente de euforia, todos los tóxicos ingeridos, inyectados o inhalados, no sólo inciden negativamente en la calidad de las relaciones sexuales, sino que su adicción puede provocar secuelas muy graves para la sexualidad y la salud en general.

Existen tres grandes grupos en los que pueden clasificarse las drogas, según sus efectos sobre la actividad del sistema nervioso central: depresores (alcohol, morfina, heroína...); estimulantes (anfetaminas, cocaína...) y perturbadores (LSD, marihuana, hachís, pegamentos y colas...).

Veamos algunas de las consecuencias que pueden ocasionar las drogas de mayor consumo:

Depresores del sistema nervioso central

Alcohol
- Desinhibición.
- Dificultad para tener la erección y para mantenerla.
- Disminución de la intensidad del orgasmo masculino.
- Dificultad de lubricación y orgasmo en la mujer.
- Descontrol y disminución de la percepción del riesgo.
- Más posibilidades de contraer ETS.
- Trastornos neurológicos, vasculares, hepáticos...
- Malformaciones fetales.

Morfina y heroína
- Dificultades de erección y eyaculación.
- Apatía sexual.
- Disfunción orgásmica.
- Deterioro de la personalidad.
- Hepatitis B.
- SIDA.
- Muerte por sobredosis.

Estimulantes del sistema nervioso central

Anfetaminas
- Lesión hepática.
- Lesiones neurológicas.
- Ansiedad, taquicardia, temblores...
- Descontrol en la eyaculación.
- Impotencia.

Cocaína
- Crisis de ansiedad.
- Insomnio.
- Deterioro personal.
- Agresividad.
- Impotencia sexual.
- Disfunción del deseo sexual.
- Disfunciones eréctiles.
- Priapismo (erección más duradera de lo normal, con dolor).
- Euforia / depresión.

Éxtasis
- Trastornos graves del sistema nervioso central.
- Disfunciones sexuales generalizadas.

Perturbadores del sistema nervioso central

Alucinógenos (LSD)
- Alteración de la conciencia y de la personalidad.
- Paranoia.
- Crisis de excitación.
- Pérdida de contacto con la realidad.

Marihuana y hachís

- Pasividad o euforia.
- Episodios de persecución.
- Puede haber dificultad para llegar al orgasmo.
- El consumo constante puede reducir el interés por el sexo.
- Disminución de la lubricación vaginal en mujeres.
- A largo plazo: inhibición de la producción de hormonas masculinas y esperma.
- A dosis altas: alteraciones en el embrión y feto y riesgo de aborto.

Pegamentos y colas

- Altamente tóxicos.
- Daño cerebral.

Quien crea en los poderes afrodisiacos de las drogas debería tener en cuenta que para que la sexualidad pueda desarrollarse satisfactoriamente es necesario gozar de una buena salud general, lo cual incluye un correcto funcionamiento del sistema nervioso central y, como ya hemos visto, éste se ve gravemente alterado por sus efectos. El consumo de drogas, más que despertar la libido, lo que hace es anularla.

GLOSARIO

PRIMERA PARTE

Aparato genital: Conjunto de órganos genitales.
Areola: Círculo rojizo, algo moreno que rodea el pezón.
Bacilos de Döderlein: Bacterias protectoras que viven en la vagina.
Cérvix: Cuello del útero.
Circuncisión: Corte circular del prepucio.
Clítoris: Órgano eréctil femenino.
Coito: Introducción del pene en la vagina.
Copular: Realizar el coito.
Ecografía: Técnica de diagnóstico con ultrasonidos.
Embarazo: Estado de la mujer que espera un hijo.
Embrión: Fruto de la concepción en los tres primeros meses de embarazo.
Encéfalo: Porción del sistema nervioso central contenido dentro del cráneo.
Endometrio: Membrana mucosa que recubre la cavidad uterina.
Epidídimo: Órgano situado sobre el testículo, vivero de los espermatozoides.
Erección: Levantarse, endurecerse o ponerse rígido pene, clítoris o pezones.
Escroto: Bolsa de piel que contiene los testículos.
Esperma: Ver «semen».
Espermatozoide: Célula reproductora masculina.

Estrógeno: Hormona sexual femenina.

Eyacular: Expulsar el semen por el pene.

Falo: Ver «pene».

Fantasía (sexual): Recurso utilizado para aumentar la excitación sexual.

Fecundación: Unión del óvulo y el espermatozoide.

Fimosis: Estrechez del orificio del prepucio que impide la salida del glande.

Flacidez: Estado del pene en reposo.

Flujo vaginal: incoloro e inodoro algo espeso de la vagina.

Frenillo: Ligamento que une el prepucio al glande.

Frigidez: Ausencia anormal de deseo o de goce sexual.

Genitales: Órganos sexuales o reproductores.

Gestación: Tiempo comprendido entre la concepción y el nacimiento.

Ginecólogo: Médico especialista de los órganos genitales femeninos.

Glande: Parte final o cabeza del pene.

Glándulas de Bartholin: Órganos lubrificadores situados en la vulva.

Glándulas de Cowper: Órganos lubrificadores situados debajo de la próstata.

Gónada: Glándula sexual femenina o masculina (ovario o testículo).

Gonadotropina: Hormona que estimula las gónadas.

Himen: Membrana que reduce parcialmente el orificio externo de la vagina.

Hipófisis: Glándula secretora de hormonas necesarias para el desarrollo sexual.

Hipotálamo: Región del encéfalo, situada en la base cerebral, en la que residen centros importantes de la vida vegetativa.

Hormona: Sustancia química producida en el propio organismo.

Impotencia: Incapacidad repetida de alcanzar o mantener la erección.

Libido: Deseo sexual.

Lubricar: Aplicar sustancias que faciliten el rozamiento.

Masturbación: Estimulación de los órganos genitales para llegar al orgasmo.

Matriz: Ver «útero».

Menarquía: Aparición de la primera menstruación.

Menopausia: Cese natural y definitivo de la menstruación.

Menstruación: Eliminación mensual de parte de la mucosa uterina con flujo sanguíneo y moco.

Orgasmo: Momento máximo de placer sexual.

Ovarios: Glándulas productoras de óvulos, situadas a cada lado del útero.

Ovulación: Proceso de formación y expulsión de uno o varios óvulos.

Óvulo: Elemento reproductor femenino, formado y contenido en el ovario.

Parto: Acción de parir o dar a luz un bebé.

Pelvis: Cavidad ósea formada por los huesos coxales, sacro y cóccix.

Pene: Órgano eréctil del hombre.

Penetrar: Introducir un órgano u objeto en otro.

Período: Ver «menstruación».

Pezón: Botoncillo carnoso, eréctil, situado en el centro de la aréola.

Pornografía: Representación de actos encaminada a excitar sexualmente.

Prenatal: Que existe o se produce antes del nacimiento.

Prepucio: Piel del pene que cubre el glande.

Procrear: Engendrar, multiplicar una especie.

Progesterona: Hormona sexual femenina que actúa sobre la mucosa del útero.

Próstata: Glándula masculina secretora de un líquido que se mezcla con el esperma en el momento de la eyaculación.

Pubertad: Etapa en la que se inicia la madurez de los órganos sexuales.

Pubis: Parte inferior del vientre que en los adultos se cubre de vello.

Recto: Parte terminal del intestino grueso.

Regla: Término común para definir la menstruación.

Reproducción: Función por la que se puede formar un ser semejante.

Semen: Sustancia gelatinosa que se produce en el aparato genital masculino y contiene los espermatozoides.

Senos: Pechos, mamas de las mujeres.

Sexualidad: Conjunto de condiciones anatómicas y fisiológicas de cada sexo.

Testículos: Glándulas sexuales masculinas productoras de esperma.

Testosterona: Hormona sexual masculina. Induce y mantiene los caracteres masculinos secundarios.

Trompas de Falopio: Conductos que comunican el útero con los ovarios.

Uretra: Conducto que lleva la orina desde la vejiga urinaria hasta el exterior.

Urólogo: Médico especialista del aparato urinario.

Útero: Órgano genital femenino donde se desarrolla el óvulo fecundado.

Vagina: Conducto membranoso que se extiende desde la vulva hasta el útero.

Vesículas seminales: Saquitos situados detrás de la vejiga, productores de un líquido vital para los espermatozoides.

Virginidad: Estado de las personas que no han mantenido relaciones sexuales completas.

Viril: Perteneciente o relativo al varón.

Vulva: Genitales externos femeninos.

SEGUNDA PARTE

Aborto: Interrupción espontánea o voluntaria del embarazo.

Anal: Relativo al ano.

Anovulatorio: Medicamento para anular la ovulación.

Anticonceptivo: Método para impedir la fecundación del óvulo.

Citología: Estudio de las células.

Condón: Ver preservativo.

Deseo: Apetito sexual.

Diafragma: Capuchón anticonceptivo que se coloca cubriendo el cuello del útero.

DIU: Dispositivo intrauterino con fines anticonceptivos.

Erótico: Carácter de lo que excita sexualmente.

Esfínter: Anillo muscular que abre y cierra una cavidad del cuerpo.

Espermicida: Sustancia destructora de espermatozoides.

Esterilidad: Incapacidad para concebir hijos.

Esterilización: Pérdida de la capacidad reproductora.

Estimulación (sexual): Provocar el deseo a través de los sentidos.

Excitación: Fase inicial de la respuesta sexual.

Eyaculación precoz: Expulsión del semen demasiado pronto.

Feto: Fruto de la concepción antes de su nacimiento.

Inseminación artificial: Introducción del semen en el útero por medio de diversos instrumentos.

Ligadura de trompas: Oclusión de las trompas de Falopio.

Meseta: Fase de la respuesta sexual que precede al orgasmo.

Poscoital: Después del coito.

Preservativo: Funda de látex que se pone en el pene, evita los embarazos y protege de las enfermedades sexuales.

Resolución: Última etapa de la respuesta sexual.

Respuesta sexual: Reacción orgánica ante la estimulación erótica.

Rubor sexual: Manchas rojizas aparecidas durante la respuesta sexual.

Seminograma: Estudio del semen.

Sexólogo: Especialista en el estudio del sexo y lo relacionado con él.

SIDA: Enfermedad infecciosa que afecta al sistema inmunológico.

Terapeuta: Médico encargado de la curación y recuperación del paciente.

Vasectomía: Corte u oclusión de los conductos deferentes.

Vasocongestión: Afluencia excesiva de sangre en los vasos sanguíneos.

Vasodilatación: Aumento del calibre de los vasos sanguíneos.

TERCERA PARTE

Alucinógeno: Que causa disturbios mentales o experiencias imaginarias.

Anfetamina: Sustancia que estimula la actividad del sistema nervioso central.

Asintomático: Carente de síntomas.

Beso negro: Lamer el ano con fruición.

Bisexual: Persona que se siente atraída por ambos sexos.

Cándidas: Hongos que se asientan en las mucosas húmedas y calientes.

Cervicitis: Inflamación del cuello uterino.

Chancro sifilítico: Úlcera contagiosa.

Clamidia: Infección causada por la bacteria *Chlamydia trachomatis*.

Clímax: Punto más alto del placer sexual.

Cocaína: Alcaloide de la coca, muy peligroso para el cerebro.

Condilomas: Lesiones verrugosas causadas por un virus.

Contagio: Transmisión de una enfermedad, directa o indirectamente.

Cunnilingus: Estimulación sexual de los genitales femeninos con la lengua.

Dedil (de látex): Funda para un dedo, usada en contactos genitales o anales.

Dermatólogo: Persona especializada en las enfermedades de la piel.

Diagnóstico: Calificación que se da a una enfermedad según sus síntomas.

Drogodependiente: Persona habituada a consumir drogas.

Éxtasis: Droga estimulante, altamente tóxica para el sistema nervioso central.

Felación: Estimulación del pene por medio de la boca.

Gonococo: Microbio patógeno específico de la gonorrea.

Gonorrea: Enfermedad producida por el gonococo de Neisser.

Hachís: Sustancia perturbadora del sistema nervioso central.

Hepatitis: Inflamación del hígado.

Heroína: Sustancia depresora del sistema nervioso central.

Herpes genital: Afección inflamatoria de origen vírico.

Heterosexual: Que desea o mantiene relaciones sexuales con el sexo opuesto.

Homosexual: Que desea o mantiene relaciones sexuales con el mismo sexo.

Inmunológico (sistema): Protege al organismo de las infecciones.

Lactancia: Período de la vida, durante el cual mama el bebé.

Ladilla: Insecto parasitario que habita en los pelos del pubis.

Látex: Goma utilizada para la fabricación de preservativos.

Lesbiana: Mujer homosexual.

Marihuana: Droga perturbadora del sistema nervioso central.

Mito: Falsa creencia.

Morfina: Alcaloide cristalino blanco, muy amargo y venenoso.

Nalgas: Región anatómica formada por los músculos glúteos.

Obsceno: Ofensivo al pudor.

Pasión: Inclinación muy viva hacia una persona.

Placenta: Masa de tejido esponjoso situada en el útero durante la gestación.

Placer: Sensación satisfactoria producida por algo que gusta.

Portador: Persona sana o enferma que lleva en su cuerpo el germen de una enfermedad que puede propagar.

Postura (sexual): Posición que se adopta para sentir goce sexual.

Prostitución: Prestar una relación sexual a cambio de dinero u otros bienes.

Punto G: Zona erógena situada en la pared anterior de la vagina.

Sensualidad: Facultad para despertar el deseo sexual.

Seropositivo: Persona portadora del VIH.

Sexo anal: Estimulación o penetración del ano.

Sexo oral: Estimulación de los genitales por medio de la boca.

Sífilis: Enfermedad infecciosa adquirida por contagio o transmitida por alguno de los progenitores a su descendencia.

Tabú: Cosa prohibida o vedada.

Venérea (enfermedad): Mal contagioso adquirido a través de las relaciones sexuales.

Violación: Abuso sexual contra una persona.

VIH (o SIDA): Virus de la Inmunodeficiencia Humana.